D1588171

OCEAN VUONG

AUF ERDEN SIND WIR KURZ GRANDIOS

Roman
Aus dem Englischen
von Anne-Kristin Mittag
Carl Hanser Verlag

Die amerikanische Originalausgabe erschien 2019 unter dem Titel
On Earth We're Briefly Gorgeous bei Penguin Press in New York.

3. Auflage 2019

ISBN 978-3-446-26389-5
Umschlag: Peter-Andreas Hassiepen, München
Motiv: © Marta Blue
Satz im Verlag
Druck und Bindung: CPI books GmbH, Leck
Printed in Germany

MIX
Papier aus verantwortungs-
vollen Quellen
FSC® C083411

Für meine Mutter

Aber lass mich sehen, ob ich dir – mit dieser kleinen Scholle meiner Worte und meinem Leben als Grundstein – einen Mittelpunkt erschaffen kann.

QIU MIAOJIN

Ich möchte Ihnen die Wahrheit sagen, und habe Ihnen doch schon von den breiten Flüssen erzählt.

JOAN DIDION

LASS MICH VON vorn anfangen.

Ma,

ich schreibe, um dich zu erreichen – auch wenn jedes Wort auf dem Papier ein Wort weiter weg ist von dort, wo du bist. Ich schreibe, um zu jenem Mal an der Raststätte in Virginia zurückzukehren, als du voller Entsetzen den ausgestopften Hirschkopf angestarrt hast, der über dem Getränkeautomaten bei den Toiletten hing; sein Geweih überschattete dein Gesicht. Im Auto hast du immer noch den Kopf geschüttelt. »Ich verstehe nicht, warum die Leute so was machen. Sehen die denn nicht, dass es ein totes Tier ist? Eine Leiche sollte verschwinden, nicht für immer so feststecken.«

Ich denke jetzt an diesen Hirsch, wie du in seine schwarzen Glasaugen gestarrt und dich selbst, deinen ganzen Körper verzerrt in diesem leblosen Spiegel gesehen hast. Wie es nicht die groteske Zurschaustellung eines geköpften Tieres war, die dich so aufwühlte – sondern dass die Ausstopfung einen Tod verkörperte, der nicht enden würde, einen Tod, der ununterbrochen stirbt, während wir auf dem Weg zur Toilette daran vorbeigehen.

Ich schreibe, weil man mir gesagt hat, niemals einen Satz mit *weil* anzufangen. Aber ich wollte keinen Satz bilden – ich wollte freikommen. Weil Freiheit, so heißt es, nur der Abstand zwischen dem Raubtier und seiner Beute ist.

HERBST. IRGENDWO ÜBER Michigan macht sich eine Kolonie Monarchfalter von über fünfzehntausend Schmetterlingen auf ihre jährliche Wanderung nach Süden. Im Laufe von zwei Monaten, zwischen September und November, ziehen sie von Südkanada und den Vereinigten Staaten aus, immer einen Flügelschlag nach dem andern, zur Überwinterung nach Zentralmexiko.

Sie lassen sich zwischen uns nieder, auf Fensterbänken und Maschendrahtzäunen, Leinen, wie weichgezeichnet vom eben noch hängenden Gewicht der Wäsche, auf der Motorhaube eines verblichenen blauen Chevy; ihre Flügel schließen sich langsam, als würden sie fortgeräumt, ehe sie einmal zusammenschnellen, in den Flug hinauf.

Eine einzige Nacht Frost kann eine ganze Generation auslöschen. Leben wird so zu einer Frage der Zeit, des richtigen Zeitpunkts.

Jenes Mal, ich war fünf oder sechs und wollte dir einen Streich spielen, sprang hinter der Tür im Flur hervor und rief: »Bumm!« Du hast aufgeschrien, dein Gesicht verzerrt und verharkt, bist dann in Schluchzen ausgebrochen und hast die Hand in der Brust verkrallt, dich nach Luft schnappend gegen die Tür gelehnt. Ich stand verblüfft da, mein Spielzeughelm auf dem Kopf verrutscht. Ich war ein amerikanischer Junge, der nachäffte, was er im Fernsehen sah. Ich wusste nicht, dass der Krieg immer noch in dir war, dass es überhaupt einen Krieg gegeben hatte, dass er, einmal hineingelangt, nie mehr weggeht – aber doch nur widerhallt, als Geräusch, das das Gesicht deines eigenen Sohnes formt. Bumm.

Jenes Mal, als ich in der dritten Klasse mithilfe von Mrs Callahan, meiner Englischlehrerin im Förderunterricht, das erste Buch las, das ich wirklich mochte, ein Kinderbuch namens *Donnerkuchen* von Patricia Polacco. In der Geschichte entdecken ein Mädchen und seine Großmutter, wie sich am grünen Horizont ein Sturm zusammenbraut, doch anstatt die Rollladen herunterzulassen oder die Türen mit Brettern zu vernageln, machen sie sich daran, einen Kuchen zu backen. Etwas lichtete sich in mir bei dieser gefährlichen und doch kühnen Missachtung gesunden Menschenverstands. Während Mrs Callahan hinter mir stand, ihr Mund an meinem Ohr, wurde ich tiefer in den Strom der Sprache hineingesogen. Die Geschichte entrollte sich, der Sturm grollte herein, während sie sprach, grollte dann noch einmal, wenn ich die Worte wiederholte. Einen Kuchen backen im Auge des Sturms. Sich mit Zucker nähren am Abgrund der Gefahr.

DAS ERSTE MAL, als du mich geschlagen hast, muss ich vier gewesen sein. Eine Hand, ein Wimpernschlag, eine Strafe. Mein Mund ein Aufflammen von Berührung.

Wie ich versuchte, dir Lesen beizubringen, so wie Mrs Callahan es mir beibrachte, meine Lippen an deinem Ohr, meine Hand auf deiner, die Worte huschten unter unseren Schatten dahin. Doch ein Sohn, der seine Mutter erzieht – das verkehrte unsere Hierarchien und damit unsere Identitäten, die ohnehin fragil und vorgezeichnet waren in diesem Land. Nach dem Stottern und den missglückten Anläufen, die Sätze verkehrt oder verschlossen in deiner Kehle, nach dem peinlichen Scheitern hast du das Buch zugeknallt. »Ich brauche nicht zu lesen«, hast du naserümpfend gesagt und dich vom Tisch abgestoßen. »Ich kann *sehen* – und bin bis jetzt damit klargekommen, oder etwa nicht?«

Dann jenes Mal mit der Fernbedienung. Ein blutunterlaufener Striemen auf meinem Unterarm, über dessen Herkunft ich meine Lehrer anlog. »Ich bin beim Fangenspielen hingefallen.«

Wie du mit sechsundvierzig auf einmal unbedingt malen wolltest. »Gehen wir zu Walmart«, hast du eines Morgens gesagt. »Ich brauche Malbücher.« Monatelang hast du die Fläche zwischen deinen Armen mit all den Schattierungen versehen, die du nicht aussprechen konntest. *Magenta, Zinnober, Kadmium, Schiefer, Tannengrün, Zimt.* Jeden Tag hast du dich stundenlang über Farm- und Weidelandschaften gebeugt, über Paris, zwei Pferde auf einer windgepeitschten Ebene, das Gesicht eines Mädchens mit schwarzen Haaren und Haut, die du leer, weiß gelassen hast. Du hast sie überall in der Wohnung aufgehängt, die langsam an ein Grundschulklassenzimmer erinnerte. Als ich dich fragte: »Warum malen, warum jetzt?«, hast du den Saphirstift abgesetzt und wie in Trance auf einen halb ausgemalten Garten geblickt. »Ich tauche einfach ein bisschen darin ein«, hast du gesagt, »aber gleichzeitig kriege ich alles mit. Als ob ich noch ganz hier bin, in diesem Zimmer.«

Wie du mir die Legokiste an den Kopf geworfen hast. Das Parkett blutgesprenkelt.

»Hast du dir jemals einen Ort ausgedacht«, sagtest du – du warst gerade dabei, ein Thomas-Kinkade-Haus auszumalen –, »und dich dann dorthin versetzt? Hast du dich jemals von hinten gesehen, wie du weiter und tiefer in diese Landschaft hineingehst, weg von dir selbst?«

Wie konnte ich dir klarmachen, dass das, was du mir da erzähltest, Schreiben ist? Wie konnte ich sagen, dass wir uns trotz allem so nahe sind, die Schatten unserer Hände auf zwei verschiedenen Seiten ineinanderfließen?

»Es tut mir leid«, sagtest du, als du die Wunde an meiner

Stirn verbandest. »Hol deine Jacke. Du kriegst McDonald's.« Mit pochendem Kopf tunkte ich Chicken Nuggets in Ketchup, während du mir zusahst. »Du musst größer und stärker werden, okay?«

GESTERN HABE ICH Roland Barthes' *Tagebuch der Trauer* wieder gelesen, das Buch, an dem er nach dem Tod seiner Mutter ein Jahr lang täglich schrieb. *Ich habe*, schreibt er, *den Körper meiner kranken, dann sterbenden Mutter gekannt*. An diesem Punkt habe ich aufgehört. Und beschlossen, dir zu schreiben. Dir, die du noch am Leben bist.

Jene Samstage am Monatsende, an denen wir zur Mall fuhren, wenn nach all den Rechnungen noch Geld übrig war. Manche Menschen machen sich für die Kirche oder Abendeinladungen schick. Wir warfen uns in Schale, wenn wir in ein Einkaufszentrum bei der Interstate 91 gingen. Du warst dann immer früh wach, hast dich eine Stunde lang geschminkt, dein bestes schwarzes Paillettenkleid angezogen, dein eines Paar goldener Creolen, schwarze Laméschuhe. Darauf hast du dich hingekniet, mir eine Handvoll Pomade ins Haar geschmiert, einen Seitenscheitel gezogen.

Hätte ein Fremder uns dort gesehen, er hätte nicht sagen können, dass wir unsere Lebensmittel im Eckladen des Viertels an der Franklin Avenue kauften, wo der Eingang mit Quittungen eingelöster Essensmarken übersät war, Grundnahrungsmittel wie Milch und Eier dreimal so viel kosteten wie in den Vororten und der Pappkarton mit den verschrumpelten und eingedellten Äpfeln am Boden von Schweineblut durchweicht war, das aus einer Kiste längst aufgetauter Koteletts sickerte.

»Komm, holen wir uns die teure Schokolade«, sagtest du meistens und zeigtest auf den Godiva-Chocolatier. Wir nahmen dann eine kleine Papiertüte mit vielleicht fünf oder sechs zufällig ausgewählten Schokoladenrechtecken. Häufig war das alles, was wir in der Mall kauften. Dann zogen wir los, reichten uns die Pralinen einzeln hin und her, bis unsere Finger von tintenschwarzer Süße glänzten. »So genießt man das Leben«, sagtest du, an deinen Fingern saugend, deren rosa Nagellack von einer Woche Fußpflege abblätterte.

Jenes Mal mit deinen Fäusten, als du auf dem Parkplatz geschrien hast, dein Haar rot in die untergehende Sonne gestochen. Meine Arme schützend vor meinem Kopf, als deine Knöchel ringsum aufprallten.

Diese Samstage damals bummelten wir durch die Gänge, bis die Geschäfte eins nach dem andern ihre Rollgitter herunterließen. Dann gingen wir zur Bushaltestelle am Ende der Straße, unser Atem schwebte über uns, und das Make-up trocknete auf deinem Gesicht. Unsere Hände leer bis auf unsere Hände.

HEUTE MORGEN, KURZ vor Sonnenaufgang, stand ein Hirsch vor meinem Fenster, in einem Nebel, der so dicht und hell war, dass der zweite Hirsch, nicht weit entfernt, aussah wie der unvollendete Schatten des ersten.

Du kannst ihn ausmalen. Du kannst ihn »Die Geschichte der Erinnerung« nennen.

MIGRATION KANN AUSGELÖST werden durch den Stand des Sonnenlichts, der einen Jahreszeitenwechsel ankündigt, durch Temperatur, Pflanzenleben und Nahrungsangebot. Monarchweibchen legen entlang der Strecke Eier. Jede Geschichte hat mehr als einen Faden, und jeder Faden ist eine Geschichte der Teilung. Die Reise geht über 7770 Kilometer, weiter, als sich dieses Land ausdehnt. Die Monarchen, die in den Süden fliegen, werden nicht nach Norden zurückkehren. Jeder Aufbruch wird so zu etwas Endgültigem. Nur ihre Nachkommen kehren heim; nur die Zukunft besucht die Vergangenheit wieder.

Was ist ein Land anderes als ein Satz ohne Grenzen, ein Leben?

Jenes Mal beim chinesischen Fleischer, als du auf das geröstete Spanferkel an seinem Haken gezeigt hast. »Die Rippen sind genau wie bei einem Menschen, der verbrannt wurde.« Du bist in ein abgehacktes Kichern ausgebrochen, dann verstummt, hast mit verkniffenem Gesicht dein Portemonnaie herausgeholt und unser Geld nachgezählt.

Was ist ein Land anderes als ein Urteil: lebenslänglich?

JENES MAL MIT der Milchflasche. Das Zerbersten des Krugs auf meinem Schulterknochen, dann ein weißes Rieseln auf die Küchenfliesen.

Wie du damals im Six Flags Park die Superman-Achterbahn mit mir gefahren bist, weil ich mich nicht allein getraut habe. Wie du dich danach, dein Kopf in die Mülltonne getaucht, übergeben hast. Wie ich vor lauter Entzücken vergaß, *Danke* zu sagen.

Wie wir einmal zu Goodwill gingen und Waren mit einem gelben Sticker in den Einkaufswagen stapelten, weil man an dem Tag zusätzlich fünfzig Prozent Rabatt darauf bekam. Ich schob den Wagen und sprang hinten auf, fühlte mich im Dahingleiten reich mit unserer Beute ramschiger Schätze. Es war dein Geburtstag. Wir prassten. »Sehe ich aus wie eine echte Amerikanerin?«, fragtest du und drücktest ein weißes Kleid an dich. Es war ein wenig zu förmlich, als dass du es bei irgendeiner Gelegenheit hättest anziehen können, aber doch leger genug, dass immerhin die *Möglichkeit* dafür bestand. Eine Chance. Ich nickte grinsend. Der Wagen war inzwischen so voll, dass ich nicht länger sehen konnte, was vor mir lag.

Jenes Mal mit dem Küchenmesser – das du genommen, dann hingelegt hast, bebend, leise sagtest: »Raus. Raus mit dir.« Und ich rannte aus dem Haus, die schwarzen Sommerstraßen hinunter. Ich rannte, bis ich vergaß, dass ich zehn war, bis mein Herzschlag alles war, was ich von mir selbst hören konnte.

JENES MAL IN New York, eine Woche nachdem Cousin Phuong bei dem Autounfall ums Leben gekommen war, als ich in die Linie 2 Richtung Uptown stieg und beim Öffnen der Türen sein Gesicht klar und rund vor mir sah, wie es mich unverwandt anblickte, lebendig. Ich japste – und wusste doch, dass es nur jemand war, der ihm ähnlich sah. Zu sehen, was ich doch eigentlich nie wiedersehen sollte, machte mich trotzdem fertig – die Gesichtszüge so getreu, der massive Kiefer, die hohe Stirn. Sein Name machte in meinem Mund einen Satz nach vorn, bevor ich ihn unterdrücken konnte. Oben auf der Straße hockte ich mich auf einen Hydranten und rief dich an. »Ma, ich hab ihn gesehen«, hauchte ich. »Ma, ich hab ihn gesehen, ich schwör's. Ich weiß, es ist dumm, aber ich habe Phuong in der Subway gesehen.« Ich hatte eine Panikattacke. Und du wusstest es. Für eine Weile bist du stumm geblieben, dann hast du angefangen, die Melodie von »Happy Birthday« zu summen. Es war nicht mein Geburtstag, aber da war das einzige englische Lied, das du kanntest, und du fuhrst fort. Und ich lauschte, das Telefon so fest an mein Ohr gepresst, dass noch Stunden später ein rosa Rechteck in meine Wange geprägt war.

ICH BIN ACHTUNDZWANZIG Jahre alt, 165 cm groß, 50 Kilo schwer. Ich sehe von genau drei Seiten gut aus und ätzend von überall sonst. Ich schreibe dir aus einem Körper heraus, der einmal dir gehörte. Das heißt, ich schreibe als ein Sohn.

Wenn wir Glück haben, ist das Ende eines Satzes der Punkt, an dem wir vielleicht anfangen können. Wenn wir Glück haben, wird etwas weitergereicht, ein weiteres Alphabet unserem Blut eingeschrieben, den Sehnen und Nervenzellen; Ahnen, die ihrer Nachkommenschaft den stillen Drang aufbürden, nach Süden zu fliegen, auf jenen Ort in der Erzählung zuzuhalten, den niemand überdauern sollte.

JENES MAL, ALS ich im Nagelstudio mitbekam, wie du eine Kundin über einen kürzlichen Verlust trösten wolltest. Während du ihre Nägel lackiertest, sprach sie unter Tränen. »Ich habe mein Baby verloren, mein Kleines, Julie. Ich kann es nicht glauben, sie war meine Stärkste, meine Älteste.« Du hast genickt, die Augen nüchtern über der Maske. »Ist gut, ist gut«, hast du auf Englisch gesagt, »nicht weinen. Deine Julie«, fragtest du dann, »wie ist gestorben?«

»Krebs«, sagte die Frau. »Und auch noch im Garten! Sie ist gleich da auf der verdammten Wiese hinterm Haus gestorben.«

Du hast ihre Hand hingelegt, deinen Mundschutz abgenommen. Krebs. Du hast dich vorgebeugt. »Meine Mama auch, sie von Krebs gestorben.« Im Raum wurde es still. Deine Kollegen rutschten auf ihren Stühlen hin und her. »Aber was passiert in Garten, warum sie da gestorben?«

Die Frau wischte ihre Augen. »Da hat sie gelebt. Julie war mein Pferd.«

Du hast genickt, deinen Mundschutz wieder übergestreift und ihre Nägel weiterlackiert. Als die Frau gegangen war, hast du die Maske quer durch den Raum geschleudert. »Ein Scheißpferd?«, hast du auf Vietnamesisch gesagt. »Verdammt noch mal, ich wollte schon Blumen am Grab der Tochter ablegen!« Für den Rest des Tages, während du an der einen oder anderen Hand arbeitetest, hast du immer wieder aufgesehen und gerufen: »Es war nur ein dummes Pferd!«, und wir haben gelacht.

JENES MAL MIT dreizehn, als ich endlich Stopp sagte. Deine Hand in der Luft, mein Wangenknochen brennend vom ersten Schlag. »Schluss, Ma. Hör auf. Bitte.« Ich sah dich hart an, so wie ich inzwischen gelernt hatte, in die Augen derer zu starren, die mich schikanierten. Du hast dich abgewandt, bist wortlos in deinen braunen Wollmantel geschlüpft und zum Laden gegangen. »Ich hole Eier«, sagtest du über die Schulter, als ob nichts gewesen wäre.

Doch wir wussten beide, du würdest mich nie wieder schlagen.

Monarchfalter, die die Wanderung überleben, reichen diese Botschaft an ihre Nachkommen weiter. Die Erinnerung an Familienmitglieder, die der einsetzende Winter gefordert hat, ist in ihre Gene verwoben.

Wann endet ein Krieg? Wann kann ich deinen Namen sagen und nur deinen Namen meinen und nicht das, was du hinter dir gelassen hast?

Jenes Mal, als ich zu tintenblauer Stunde aufwachte, mein Kopf – nein, das Haus von leiser Musik erfüllt. Ich ging zu deinem Zimmer, das Parkett kühl unter meinen Füßen. Dein Bett war leer. »Ma«, sagte ich, still wie eine Schnittblume über der Musik. Es war Chopin, und es kam aus dem Schrank. Die Umrisse der Tür in rötliches Licht geschnitten, wie der Eingang zu einem Ort, der in Flammen steht. Ich setzte mich davor, lauschte der Ouvertüre und, darunter, deinem gleichmäßigen Atem. Ich weiß nicht, wie lange ich dort saß. Aber irgendwann ging ich zurück ins Bett und zog mir die Decke zum Kinn hoch, bis es aufhörte; nicht die Musik, sondern mein Zittern. »Ma«, sagte ich noch einmal, zu niemandem. »Komm wieder. Komm wieder raus.«

DU HAST MIR einmal gesagt, dass das menschliche Auge Gottes einsamste Schöpfung ist. Wie so viel von der Welt durch die Pupille zieht und diese doch nichts davon bewahrt. Das Auge, allein in seiner Höhle, weiß nicht einmal, dass es ein anderes gibt, genau wie es selbst, nur Zentimeter entfernt, ebenso hungrig, ebenso leer. Du hast die Haustür zum ersten Schneefall meines Lebens hin geöffnet und geflüstert: »Schau.«

JENES MAL, DU warst gerade dabei, einen Korb grüner Bohnen über der Spüle zu schneiden, als du unvermittelt sagtest: »Ich bin kein Monster. Ich bin eine Mutter.«

Was meinen wir, wenn wir von einem Überlebenden sprechen? Vielleicht ist ein Überlebender der letzte Heimkehrer, der letzte Monarchfalter, der sich auf einem Zweig niederlässt, der sich bereits biegt unter Geistern.

Der Morgen schloss sich um uns.

Ich legte das Buch weg. Die Spitzen der Bohnen schnappten weiter. Sie prallten dumpf wie Finger in die Stahlspüle. »Du bist kein Monster«, sagte ich.

Aber ich habe gelogen.

Was ich wirklich sagen wollte, war, dass es nicht so schlimm ist, ein Monster zu sein. Vom lateinischen *monstrum*, ein göttlicher Bote der Katastrophe, dann im Altfranzösischen abgewandelt, um ein Tier myriadenfachen Ursprungs zu bezeichnen: Zentaur, Greif, Satyr. Ein Monster zu sein bedeutet, ein Mischsignal zu sein, ein Leuchtturm: Zuflucht und Warnung zugleich.

Ich habe gelesen, dass Eltern, die an posttraumatischer Belastungsstörung leiden, eher dazu neigen, ihre Kinder zu schlagen. Vielleicht gibt es am Ende doch einen monströsen Ursprung. Vielleicht bedeutet Hand an dein Kind zu legen, es auf den Krieg vorzubereiten. Ihm beizubringen, dass einen Herzschlag zu besitzen nie so einfach ist wie die Aufgabe des Herzens, *ja ja ja* zum Körper zu sagen.

Ich weiß es nicht.

Was ich weiß, ist, dass du mir damals bei Goodwill das weiße Kleid hingehalten hast, deine Augen weit aufgerissen und glasig. »Kannst du das lesen«, hast du gefragt, »und mir sagen, ob es feuerfest ist?« Ich suchte den Saum ab, musterte den Aufdruck auf dem Schildchen und sagte, selbst noch nicht imstande zu lesen: »Ja.« Sagte es trotzdem. »Ja«, log ich und hielt das Kleid an dein Kinn. »Es ist feuerfest.«

Tage später, du warst bei der Arbeit, würde ein Junge aus der Nachbarschaft an unserem Vorgarten vorbeiradeln und mich in diesem Kleid sehen – ich war hineingeschlüpft in dem Glauben, ich würde dir darin ähnlicher sehen. Am nächsten Tag in der Pause nannten mich die anderen Kinder *Missgeburt*, *Homo*, *Tunte*. Viel später würde ich lernen, dass diese Worte ebenfalls Wiederholungen von *Monster* waren.

Manchmal stelle ich mir vor, dass die Monarchfalter nicht vor dem Winter fliehen, sondern vor den Napalmwolken deiner Kindheit in Vietnam. Ich stelle mir vor, wie sie unversehrt aus den sengenden Druckwellen hervorschweben, ihre winzigen schwarzroten Flügel wie Ascheflocken, die weiter durch den Himmel gewirbelt werden, für Tausende Kilometer, sodass man beim Aufschauen nicht länger die Explosionen erahnen kann, aus denen sie kommen, nur eine Familie von Schmetterlingen, die in sauberer, kühler Luft dahinschwebt, ihre Flügel endlich, nach so vielen Brandstürmen, feuerfest.

»Das ist so gut zu wissen, Schatz.« Du hast über meine Schulter hinweg ins Leere gestarrt, das Kleid mit steinerner Miene immer noch an dich gepresst. »So gut.«

Du bist eine Mutter, Ma. Und du bist ein Monster. Aber das bin ich auch – weshalb ich mich nicht von dir abwenden kann. Weshalb ich Gottes einsamste Schöpfung genommen und dich hineingesetzt habe.

Schau.

N EINEM FRÜHEREN Entwurf dieses Briefes, den ich später gestrichen habe, hatte ich dir noch erzählt, wie es dazu kam, dass ich Schriftsteller wurde. Wie ich als Erster in der Familie studieren ging und das College auf einen Abschluss in Englisch vergeudete. Wie ich meiner miesen Highschool den Rücken kehrte und meine Zeit in New York damit verbrachte, in Bibliotheksmagazinen über den schwer verständlichen Texten toter Menschen zu brüten, von denen die meisten sich nie hätten träumen lassen, dass ein Gesicht wie meines einmal über ihren Sätzen schweben würde – und am allerwenigsten, dass diese Sätze mich einmal retten würden.

Aber nichts davon ist jetzt wichtig. Wichtig ist nur, dass mich all das, auch wenn ich es damals noch nicht wusste, hierhergeführt hat, auf diese Seite, und ich dir erzählen kann, was du nie wissen wirst.

Und was geschah, war, dass ich einmal ein kleiner Junge war und unversehrt. Ich war acht, als ich in der Einzimmerwohnung in Hartford stand und Grandma Lans schlafendes Gesicht anstarrte. Obwohl sie deine Mutter ist, sieht sie ganz anders aus als du; ihre Haut ist drei Nuancen dunkler, die Farbe von Erde nach einem Gewitterregen, und spannt sich über ein eingefallenes Gesicht, in dem die Augen funkeln wie gesplittertes Glas.

Ich weiß nicht, weshalb ich von dem grünen Haufen Spielzeugsoldaten aufstand und dorthin ging, wo sie mit vor der Brust verschränkten Armen unter einer Decke auf dem Parkett lag. Im Schlaf bewegten sich ihre Augen hinter den Lidern. Ihre

Stirn mit den tief eingegrabenen Falten verriet ihre sechsund-
fünfzig Jahre. Eine Fliege landete neben ihrem Mund, glitt
dann zum Rand der leicht violetten Lippen. Ihre linke Wange
zuckte ein paar Sekunden lang, und die Haut war voller großer,
schwarzer Poren, die im Sonnenlicht flirrten. Ich hatte noch nie
so viel Bewegung im Schlaf gesehen – außer bei Hunden, die
in Träumen rennen, die niemand je kennen wird.

Doch es war Stille, wie mir jetzt klar wird, wonach ich suchte – nicht die Stille ihres Körpers, der im Schlaf weitertickte,
sondern ihres Geistes. Erst in diesem zuckenden Ruhezustand
kühlte sich die nervöse Hochspannung in ihrem Kopf zu etwas
wie Frieden ab. Ich sehe eine Fremde an, dachte ich, eine Fremde, deren Lippen sich zu einer Miene der Zufriedenheit ver-
knitterten, die ich an Lan, wenn sie wach war, überhaupt nicht
kannte – Lan, deren Sätze endlos und unzusammenhängend
aus ihr hervorsprudelten, seit dem Krieg war ihre Schizophre-
nie nur noch schlimmer geworden. Anders als völlig über-
dreht hatte ich sie jedoch nie gekannt. Seit ich mich erinnern
kann, hatte sie zwischen lichten Augenblicken vor mir gefla-
ckert. Und darum war es, wie ich sie so betrachtete, still und
friedlich im Nachmittagslicht, als blickte ich in die Vergangenheit zurück.

Das Auge öffnete sich. Milchig trüb vom Schlaf, weitete es
sich, um meinen Anblick aufzunehmen. Ich stellte mich mir
selbst, gebannt von dem Lichtschacht, der durchs Fenster fiel.
Dann öffnete sich das zweite Auge, dieses leicht rosa, aber klarer. »Hunger, Little Dog?«, fragte sie mit ausdruckslosem Gesicht, so als schliefe sie noch.

Ich nickte.

»Was sollen wir in einer Zeit wie dieser essen?« Mit einer
Handbewegung schloss sie das Zimmer ein.

Eine rhetorische Frage, dachte ich und biss mir auf die Lippen.

Aber ich irrte mich. »Ich sagte: *Was* können wir essen?« Sie setzte sich auf, ihr schulterlanges Haar stand von ihrem Hinterkopf ab wie bei einer Zeichentrickfigur, die gerade mit TNT in die Luft gejagt worden war. Sie robbte über den Boden und hockte sich vor die Spielzeugsoldaten, pickte einen vom Haufen, hielt ihn zwischen Daumen und Zeigefinger hoch und musterte ihn. Ihre Fingernägel, die du mit gewohnter Sorgfalt manikürt und lackiert hattest, waren das einzig Makellose an ihr. Vornehm und glänzend rubinrot hoben sie sich von ihren schwieligen, rissigen Knöcheln ab, als sie den Soldaten, einen Funker, hochhielt und wie ein frisch ausgegrabenes Artefakt beäugte.

Der Soldat hatte ein Funkgerät auf den Rücken geschnallt und brüllte, auf einem Knie kauernd, für alle Zeiten in den Hörer. Seine Montur ließ vermuten, dass er im Zweiten Weltkrieg kämpft. »Werrr du bist, Messieur?«, fragte sie das Plastikmännchen in gebrochenem Englisch und Französisch. Ruckartig presste sie sein Funkgerät an ihr Ohr und lauschte aufmerksam, während sie mich weiterhin fixierte. »Weißt du, was die mir sagen, Little Dog?«, flüsterte sie auf Vietnamesisch. »Sie sagen –« Sie legte den Kopf auf die Seite und beugte sich zu mir vor, ihr Atem eine Mischung aus Ricola-Hustenbonbons und dem kräftigen Geruch des Schlafes, der Kopf des grünen Männchens von ihrem Ohr verschluckt. »Sie sagen, dass gute Soldaten nur gewinnen, wenn Großmutter sie füttert.« Sie gackerte kurz auf – und hielt inne, ihre Miene plötzlich ausdruckslos. Sie legte den Funker in meine Hand und schloss sie zu einer Faust. Damit stand sie auf und schlurfte mit klappernden Sandalen in Richtung Küche davon. Ich umschloss diese Botschaft so fest, dass mir die Plastikantenne in die Hand stach, während durch die Wand einer Nachbarwohnung gedämpfte Reggaemusik ins Zimmer sickerte.

ICH HABE UND hatte viele Namen. Little Dog, so nannte mich Lan. Was brachte eine Frau, die sich selbst und ihrer Tochter Blumennamen gegeben hatte, dazu, ihren Enkel einen Hund zu nennen? Eine Frau, die auf ihre Familie aufpasst, ganz genau. Du weißt ja, dass in dem Dorf, wo Lan aufgewachsen ist, ein Kind, meist das kleinste oder schwächste der ganzen Schar wie ich damals, nach den schändlichsten Dingen benannt wird: Teufel, Geisterkind, Schweineschnauze, Affenspross, Büffelkopf, Bastard – kleiner Hund noch einer der liebevolleren Namen darunter. Weil böse Geister, die das Land auf der Jagd nach gesunden, schönen Kindern durchstreiften, einen Bogen um das Haus machten, wenn sie hörten, wie etwas ganz Scheußliches zum Abendessen hereingerufen wurde, und damit das Kind verschonten. Etwas zu lieben heißt so, ihm einen derart schäbigen Namen zu geben, dass es vielleicht unberührt bleibt – und am Leben. Ein Name, dünn wie Luft, kann auch ein Schild sein. Ein Kleiner-Hund-Schild.

ICH SASS AUF den Küchenfliesen und sah zu, wie Lan zwei dampfende Reishügel in eine mit indigoblauen Ranken bemalte Porzellanschüssel schöpfte. Sie griff nach einer Teekanne und goss gerade so viel Jasmintee über den Reis, dass ein paar Körner in der hell bernsteinfarbenen Flüssigkeit trieben. Wir saßen auf dem Boden und reichten uns abwechselnd die duftende, dampfende Schüssel. Es schmeckte so, wie man sich den Geschmack zerstampfter Blumen vorstellen mag: bitter und trocken, mit einem frischen und süßen Nachgeschmack. »Richtiges Bauernessen.« Lan grinste. »Das ist unser Fast Food, Little Dog. Das ist unser McDonald's!« Sie lehnte sich zur Seite und ließ einen lauten Furz. Ich folgte ihrem Beispiel und pupste zurück, was uns beide mit geschlossenen Augen losprusten ließ. Dann brach sie ab. »Iss auf.« Sie deutete mit dem Kinn auf die Schüssel. »Jedes Reiskorn, das du übrig lässt, ist eine Made, die du in der Hölle isst.« Sie streifte das Gummiband von ihrem Handgelenk und schlang ihre Haare zu einem Dutt zusammen.

Es heißt, dass traumatische Erfahrungen nicht nur das Gehirn beeinträchtigen, sondern auch den Körper, seine Muskulatur, Gelenke und Haltung. Lans Rücken war ewig gebeugt, so tief, dass ich kaum ihren Kopf sehen konnte, wenn sie an der Spüle stand. Nur der Knoten ihrer zurückgebundenen Haare war sichtbar, der auf und ab tanzte, während sie schrubbte.

Sie warf einen Blick in den Vorratsschrank, der bis auf ein einsames, halb aufgegessenes Glas Erdnussbutter leer war. »Ich muss mehr Brot kaufen.«

EINES NACHTS, EIN oder zwei Tage vor dem Unabhängigkeitstag, schossen die Nachbarn Feuerwerk von einem Hausdach weiter unten an der Straße. Phosphoreszierende Streifen wühlten die violette Lichtglocke des Himmels auf und rissen mit schwerem Krachen entzwei, das durch unsere Wohnung widerhallte. Ich schlief eingezwängt zwischen dir und Lan auf dem Wohnzimmerboden, als ich spürte, wie die Wärme ihres Körpers, die sich die ganze Nacht über an meinen Rücken geschmiegt hatte, wich. Als ich mich umdrehte, war sie auf den

Knien, scharrte wild in den Laken. Bevor ich fragen konnte, was los war, griff ihre Hand kalt und nass nach meinem Mund. Sie legte den Finger auf die Lippen.

»Schhh. Wenn du schreist«, hörte ich sie sagen, »wissen die Minenwerfer, wo wir sind.«

Das Straßenlicht in ihren Augen; ein gelblicher Widerschein auf ihrem dunklen Gesicht. Sie packte mein Handgelenk und schleppte mich zum Fenster, wo wir uns unter dem Sims niederkauerten und lauschten, wie das Donnern über uns erdröhnte. Behutsam zog sie mich in ihren Schoß, und wir warteten.

Im Flüsterton ereiferte sie sich weiter über die Mörser, wobei sich hin und wieder ihre Hand über meine untere Gesichtshälfte schob – das Aroma von Knoblauch und Tigerbalsam scharf in meiner Nase. So saßen wir bestimmt zwei Stunden da, ihr Herzschlag regelmäßig an meinem Rücken, als es im Zimmer allmählich graute und sich dann, in der Indigodämmerung, zwei schlafende Gestalten abzeichneten, die in Decken gewickelt auf dem Boden vor uns lagen: du und deine Schwester, Mai. Ein Anblick wie von sanften Bergketten über einer verschneiten Tundra. Meine Familie, dachte ich, ist diese stille Polarlandschaft, in die nach einer Nacht unter Artilleriebeschuss endlich Frieden eingekehrt ist. Als Lans Kinn auf meiner Schulter schwer wurde, ihr Atem an meinem Ohr gleichmäßig, wusste ich, dass sie sich schließlich zu ihren Töchtern im Schlaf gesellt hatte, und der Schnee im Juli – glatt, vollkommen und namenlos – war alles, was ich sehen konnte.

BEVOR ICH LITTLE Dog war, hatte ich einen anderen Namen –
den Namen, mit dem ich geboren wurde. Eines Oktobernach-
mittags in einer Hütte mit einem Dach aus Bananenblättern
außerhalb von Saigon, im selben Reisfeld, auf dem du aufgewachsen bist, wurde ich dein Sohn. Wie Lan erzählte, hockten
draußen vor der Hütte der Dorfschamane und seine zwei Ge-
hilfen und warteten auf die ersten Schreie. Nachdem Lan und
die Hebammen die Nabelschnur durchtrennt hatten, stürzten
der Schamane und seine Helfer herein, hüllten mich, noch klebrig von der Geburt, in ein weißes Tuch und eilten zum nahe
gelegenen Fluss, wo ich unter Weihrauch- und Salbeischwaden
gebadet wurde.

Schreiend, mit aschebeschmierter Stirn wurde ich in die
Arme meines Vaters gelegt, und der Schamane flüsterte den
Namen, den er mir gegeben hatte. Patriotischer Führer des Va-
terlands, erklärte er seine Bedeutung. Mein Vater hatte ihn en-
gagiert, und als der Schamane das barsche Wesen meines alten
Herrn bemerkte – wie er beim Gehen die Brust aufplusterte,
um seine ein Meter sechzig große Gestalt zu strecken, und mit
angriffslustig wirkenden Gesten sprach –, wählte der Schamane wohl einen Namen, der den Mann, der ihn bezahlte, zufrie-
denstellen würde. Und er behielt recht. Mein Vater strahlte,
sagte Lan, als er mich auf der Türschwelle der Hütte hoch über
seinen Kopf hob. »Mein Sohn wird eines Tages der Führer von
Vietnam«, rief er. Doch zwei Jahre später wurden die Verhält-
nisse in Vietnam – dreizehn Jahre nach dem Krieg, und immer
noch herrschte Chaos – so entsetzlich, dass wir von demselben
Grund und Boden flohen, auf dem er nun stand; dem Boden, wo
ein paar Meter weiter dein Blut einen dunkelroten Kreis zwischen deinen Beinen gebildet, die Erde in frischen Schlamm
verwandelt hatte – und ich am Leben war.

DANN WIEDER REAGIERTE Lan ganz anders auf Krach. Erinnerst du dich an jenen Abend, als wir uns um Lan versammelt hatten, sie wollte uns nach dem Abendessen noch eine Geschichte erzählen, und auf der anderen Straßenseite gingen die Schüsse los? Auch wenn Schüsse in Hartford nicht selten vorkamen, war ich doch nie auf das Geräusch vorbereitet – schneidend, aber irgendwie banaler als erwartet, wie Homeruns im Kinderbaseball, die einer nach dem andern vom abendlichen Park her knackten. Wir kreischten alle – du, Tante Mai und ich – und drückten Wangen und Nasen gegen den Boden. »Licht aus«, hast du geschrien.

Nachdem das Zimmer einen Moment lang im Dunkeln gelegen hatte, sagte Lan: »Was denn? Sind doch nur drei Schüsse.« Ihre Stimme kam haargenau von dort, wo sie gesessen hatte. Sie war nicht einmal zusammengezuckt. »Oder nicht? Seid ihr tot oder atmet ihr noch?«

Ihre Kleider raschelten an ihrer Haut, als sie uns zu sich winkte. »Im Krieg sind ganze Dörfer hochgegangen, bevor du auch nur mit der Wimper zucken konntest.« Sie schnäuzte sich. »Jetzt mach das Licht wieder an, oder ich vergesse, wo ich war.«

Eine Sache, bei der ich Lan half, war, mit einer Pinzette die grauen Haare einzeln von ihrem Kopf zu zupfen. »Der Schnee in meinem Haar«, erklärte sie, »mein Kopf juckt davon. Bist du so gut und zupfst mir die juckenden Haare aus, Little Dog? Der Schnee schlägt Wurzeln in mir.« Sie schob eine Pinzette zwischen meine Finger. »Mach Großmama heute jung, ja?«, sagte sie ganz ruhig, ein Grinsen im Gesicht.

Für diese Arbeit wurde ich in Geschichten bezahlt. Nachdem ich ihren Kopf unter das Licht des Fensters gerückt hatte, kniete ich mich mit der Pinzette in der Hand auf ein Kissen hinter sie. Sie begann zu sprechen, ihre Stimme, um eine Oktave abfallend, mäanderte tief in eine Erzählung hinein. Meist schweifte sie ins Uferlose ab, wie es ihre Art war, während die Geschichten sich in bestimmten Abständen wiederholten. Sie wanden sich spiralförmig aus ihrem Inneren, nur um in der Woche darauf mit den gleichen einleitenden Worten wiederzukehren: »Also bei dieser Geschichte, Little Dog, bei dieser Geschichte wirst du *wirklich* mit den Ohren schlackern. Bereit? Interessiert es dich überhaupt, was ich sage? Gut. Ich lüge nämlich nie.« Es folgte eine bekannte Geschichte, in die sie an spannenden Stellen oder entscheidenden Wendepunkten die gleichen dramatischen Pausen und Betonungen einbaute. Ich sprach die Sätze lautlos mit, als sähe ich zum hundertsten Mal denselben Film – einen Film, der durch Lans Worte erschaffen und durch meine Fantasie zum Leben erweckt wurde. Das war unsere Art der Zusammenarbeit.

Während ich zupfte, füllten sich die leeren Wände um uns nicht so sehr mit fantastischen Landschaften, sondern öffneten sich auf sie hin, als ob der Gips sich aufgelöst und die Vergangenheit dahinter enthüllt hätte. Szenen aus dem Krieg, Legenden von menschenähnlichen Affen, von Geisterfängern aus den Hügeln von Da Lat in grauer Vorzeit, die in Krügen voll Reiswein bezahlt wurden und auf der Jagd nach Dämonen mit Meuten wilder Hunde und auf Palmblätter geschriebenen Zaubersprüchen durch die Dörfer zogen.

Es gab auch persönliche Geschichten. Wie jenes Mal, als sie davon erzählte, wie du geboren wurdest, von dem weißen amerikanischen Soldaten, der auf einem Navy-Zerstörer in Cam Ranh Bay stationiert war. Wie Lan ihm in ihrem violetten *Áo dài* begegnet war, dessen geschlitzter Rock sich unter den Lichtern der Bar beim Gehen hinter ihr bauschte. Wie sie da schon ihren ersten Mann aus arrangierter Ehe verlassen hatte.

Wie es – als junge Frau, die in Kriegszeiten zum ersten Mal allein in einer Stadt lebte – ihr Körper war, ihr violettes Kleid, das sie am Leben hielt. Während sie sprach, erlahmte meine Hand, hielt inne. Ich war völlig gefesselt von dem Film, der auf den Wänden der Wohnung ablief. Ich hatte mich in ihrer Geschichte verloren, mich ganz bewusst verirrt, bis sie nach hinten langte und mir auf den Schenkel klapste. »Dass du mir jetzt nicht einschläfst!« Aber ich schlief nicht. Ich stand neben ihr, als sich ihr violettes Kleid in der verrauchten Bar wiegte, die Gläser in der von Motoröl und Zigarrenqualm geschwängerten Luft klirrten, vom Geruch nach Wodka und Geschützrauch aus den Uniformen der Soldaten.

»Hilf mir, Little Dog.« Sie drückte meine Hände an ihre Brust. »Hilf mir, jung zu bleiben, schaff diesen Schnee aus meinem Leben – schaff das alles aus meinem Leben.« An diesen Nachmittagen lernte ich, dass Wahnsinn manchmal zu Erkenntnis führt; dass der Verstand, brüchig und kurzgeschlossen, nicht völlig irrt. Das Zimmer füllte sich abermals mit unseren Stimmen, als der Schnee von ihrem Kopf fiel und die Holzdielen um meine Knie weiß wurden, während sich ringsum die Vergangenheit entfaltete.

UND DANN GAB es den Schulbus. An diesem Morgen, wie jeden Morgen, setzte sich niemand neben mich. Ich drückte mich gegen das Fenster und füllte meinen Blick mit der Außenwelt, malvenfarben mit frühmorgendlicher Dunkelheit: das Motel 6, Kline's Waschsalon, der noch nicht geöffnet hatte, ein beiger Toyota ohne Motorhaube, gestrandet in einem Vorgarten mit einer halb im Schmutz schleifenden Reifenschaukel. Als der Bus beschleunigte, wirbelten Fetzen der Stadt vorbei wie in der Trommel einer Waschmaschine. Um mich herum rangelten die Jungen. Ich fühlte den Zug ihrer rasch zuckenden Glieder an meinem Nacken, wie ihre vorschnellenden Arme und Fäuste die Luft verdrängten. Weil ich wusste, wie fremd mein Gesicht auf die Menschen in dieser Gegend wirkte, presste ich meinen Kopf noch entschlossener gegen das Fenster, um ihrer Aufmerksamkeit zu entgehen. In diesem Moment sah ich auf einem Parkplatz draußen etwas aufblitzen. Erst als ich ihre Stimmen hinter mir hörte, begriff ich, dass der Funken aus meinem eigenen Kopf kam. Dass jemand mein Gesicht in das Glas gestoßen hatte.

»Sprich Englisch«, sagte der Junge mit der gelben Topffrisur, seine Hängebacken gerötet und schwabbelig.

Die grausamsten Wände sind aus Glas, Ma. Ich wollte nur noch durch die Scheibe brechen und aus dem Fenster springen.

»Ey.« Der Junge mit den Hängebacken lehnte sich vor, sein Essigatem strich an meiner Wange entlang. »Kannst du überhaupt sprechen? Kannst du Englisch?« Er packte meine Schulter und zerrte mich zu sich herum. »Sieh mich an, wenn ich mit dir rede.«

Er war erst neun, beherrschte aber schon die Mundart kaputter amerikanischer Väter. Die Jungs scharten sich, Unterhaltung witternd, um mich. Ich konnte ihre frisch gewaschenen Kleider riechen, den Lavendel und Flieder der Weichspüler.

Sie warteten darauf, dass etwas passierte. Als ich nur meine Augen schloss, gab mir der Junge eine Ohrfeige. »Sag was.« Er presste seine fleischige Nase gegen meine brennende Wange. »Kannst du nicht mal *ein* Wort!«

Die zweite Ohrfeige kam von oben, von einem anderen Jungen.

Hängebacke packte mein Kinn und zwang mein Gesicht in

seine Richtung. »Dann sag eben meinen Namen.« Er blinzelte, seine langen, blonden Wimpern, fast nicht vorhanden,
zuckten. »So wie deine Mutter letzte Nacht.«

Draußen fielen die Blätter fett und nass wie schmutzige
Geldscheine durch die Fenster. Ich zwang mich zu einem
schroffen Gehorsam und sagte seinen Namen.

Ich ließ ihr Lachen in mich eindringen.

»Noch mal«, sagte er.

»Kyle.«

»Lauter.«

»Kyle.« Meine Augen immer noch geschlossen.

»So ist's brav, kleine Schlampe.«

Und dann kam, wie eine plötzliche Windstille, ein Lied im
Radio.

»Ey, mein Cousin war gerade auf dem Konzert von denen!« Und genauso war es vorbei. Ihre Schatten lichteten sich
über mir. Ich ließ meinem Rotz freien Lauf. Ich starrte auf
meine Füße, auf die Schuhe, die du mir gekauft hattest, die mit
den roten Lichtern, die beim Gehen an den Sohlen blinkten.

Die Stirn an die Sitzlehne vor mir gepresst, kickte ich mit
meinen Schuhen, langsam zuerst, dann schneller. Meine
Sneaker brachen in stummes Warnlicht aus: die kleinsten
Krankenwagen der Welt, die nirgendwo hinfuhren.

AN JENEM ABEND hast du nach der Dusche auf dem Sofa gesessen, ein Handtuch um den Kopf, eine schwelende Marlboro
Red in der Hand. Ich stand da und hielt mich selbst umschlungen.

»Warum?« Dein Blick war starr auf den Fernseher geheftet.

Du schnipptest die Zigarette in deine Teetasse, und ich bereute sofort, dass ich es überhaupt erwähnt hatte. »Warum hast du das mit dir machen lassen? Mach nicht die Augen zu. Du bist doch nicht müde.«

Deine Augen jetzt auf mir; blauer Dunst, der zwischen uns wirbelte.

»Was für ein Junge lässt so was mit sich machen?« Rauch quoll aus deinen Mundwinkeln. »Nichts hast du getan.« Ein Schulterzucken. »Hast sie einfach machen lassen.«

Ich dachte wieder an das Fenster, wie scheinbar alles ein Fenster war, selbst die Luft zwischen uns.

Du packtest meine Schultern, deine Stirn drückte fest gegen meine eigene. »Hör auf zu heulen. Du heulst immer!« Du warst so nah, dass ich die Asche und Zahnpasta zwischen deinen Zähnen riechen konnte. »Es hat dich noch keiner angefasst. Hör auf zu heulen – ich hab gesagt, hör auf, Herrgott!«

Die dritte Ohrfeige an diesem Tag schleuderte meinen Blick zur Seite, das Fernsehbild flimmerte kurz vorbei, bevor mein Kopf zu dir zurückschnellte. Deine Augen huschten auf meinem Gesicht hin und her.

Dann hast du mich an dich gezogen, mein Kinn hart an deiner Schulter.

»Du musst einen Weg finden, Little Dog«, sagtest du in mein Haar. »Du musst, weil ich kann kein Englisch, um dir zu helfen. Ich kann nichts sagen, um sie aufzuhalten. Du findest einen Weg. Du findest einen Weg oder erzählst mir nie wieder was davon, verstanden?« Du hast dich aus der Umarmung gelöst. »Du musst ein richtiger Junge sein und stark sein. Du musst dich ins Zeug legen, oder sie werden weitermachen. Du hast einen ganzen Batzen Englisch hier drin.« Du legtest deine Hand auf meinen Bauch und sagtest fast flüsternd: »Du musst es benutzen, okay?«

»Ja, Mama.«

Du hast mein Haar zur Seite gestrichen, meine Stirn geküsst. Hast mich, einen Moment zu lang, angesehen, bevor du wieder ins Sofa gesunken bist und mit einer Hand gewunken hast. »Hol mir noch eine Zigarette.«

Als ich mit der Marlboro und einem Zippo-Feuerzeug zurückkam, war der Fernseher aus. Du hast einfach dagesessen und aus dem blauen Fenster gestarrt.

AM NÄCHSTEN MORGEN in der Küche sah ich zu, wie du die Milch in ein Glas schenktest, das so groß wie mein Kopf war.

»Trink«, sagtest du mit stolzgeschürzten Lippen. »Das ist amerikanische Milch, davon wirst du richtig wachsen. Ganz sicher.«

Ich trank so viel von der kalten Milch, dass ich sie auf meiner betäubten Zunge nicht mehr schmecken konnte. Jeden Morgen danach haben wir dieses Ritual wiederholt: der dicke, weiße Zopf der Milch beim Eingießen, ich, der sie hinunterstürzte, und du meine Zuschauerin in der gemeinsamen Hoffnung, das Weiß, das in mir verschwand, möge mehr aus mir machen als einen gelben Jungen.

Ich trinke Licht, dachte ich. Ich fülle mich mit Licht. Die Milch würde all das Dunkel in mir mit einer Flut von Helligkeit auslöschen. »Noch ein bisschen«, hast du gesagt und auf die Arbeitsfläche geklopft. »Ich weiß, es ist viel. Aber es lohnt sich.«

Strahlend knallte ich das Glas hin. »Na«, sagtest du mit verschränkten Armen. »Du siehst ja schon wie Superman aus!« Ich grinste, Milchblasen zwischen den Lippen.

ES GIBT MENSCHEN, die meinen, Geschichte vollziehe sich als spiralförmige Bewegung und nicht linear, wie wir vermuten. Wir bewegen uns auf einer Kreisbahn durch die Zeit, und unsere Entfernung wächst von einem Epizentrum fort, nur um wieder, reduziert um eine Windung, dorthin zurückzukehren.

In ihren Geschichten wanderte auch Lan an einer Spirale entlang. Während ich lauschte, gab es Momente, in denen sich die Geschichte änderte – nicht viel, nur um ein winziges Detail, die Tageszeit, die Farbe eines Hemdes, zwei statt drei Luftangriffen, eine AK-47 statt einer 9 mm, die lachende, nicht die weinende Tochter. Verschiebungen im Erzählen traten ein – die Vergangenheit war niemals eine festgelegte und ruhende Landschaft, sondern man betrachtete sie stets neu. Ob wir wollen oder nicht, wir bewegen uns in einer Spirale fort und erschaffen Neues aus dem, was vergangen ist. »Mach mich wieder jung«, sagte Lan. »Mach mich wieder schwarz, kein Schnee wie jetzt, Little Dog. Kein Schnee.«

Aber in Wahrheit weiß ich es nicht, Ma. Ich habe Theorien, die ich aufschreibe, dann verwerfe und vom Schreibtisch aufstehe. Ich setze den Teekessel auf und ändere meine Meinung, wenn ich das Wasser kochen höre. Was ist denn deine Theorie – über alles? Würde ich dich das fragen, ich weiß, dass du mit einer Hand vor dem Mund lachen würdest, wie das die Mädchen im Dorf deiner Kindheit taten. Du hast diese Geste dein ganzes Leben lang beibehalten, obwohl du deine von Natur aus geraden Zähne nicht zu verstecken brauchst. Du würdest sagen: Nein, Theorien sind für Leute, die zu viel Zeit haben und zu wenig Rückgrat. Aber ich weiß von einer.

Wir saßen in einem Flieger nach Kalifornien – erinnerst du dich? Du wolltest es mit ihm, meinem Vater, noch einmal versuchen, obwohl deine Nase von seinen unzähligen Schlägen längst schief geworden war. Ich war sechs, und wir hatten Lan bei Mai in Hartford zurückgelassen. Einmal während des Fluges wurden die Turbulenzen so heftig, dass ich im Sitz hochhüpfte, mein winziges Ich sich buchstäblich vom Sitz hob, dann vom Gurt heruntergerissen wurde. Ich begann zu weinen. Du hast einen Arm um meine Schultern geschlungen, dich über mich gelehnt, dein Gewicht federte das Schlingern der Maschine ab. Dann hast du auf die dicken Wolkenbänder vor dem Fenster gezeigt und mir erklärt: »Wenn wir so hoch hinauffliegen, werden die Wolken zu Felsbrocken – harten Steinen –, das ist es, was du spürst.« Deine Lippen streiften mein Ohr, dein Ton beruhigte mich, während ich die massiven, granitfarbenen Berge am Horizont betrachtete. Klar, das Flugzeug torkelte. Wir bewegten uns durch Felsen, durchquerten mit geradezu übermenschlicher Zähigkeit die Elemente. Weil die Rückkehr zu diesem Mann ein solches Wunder erforderte. Das Flugzeug *musste* holpern, es musste beinahe zersplittern. Nachdem so das Universum neu geordnet war, setzte ich mich zurück und sah zu, wie wir durch einen Berg nach dem anderen brachen.

WENN ES ZU Worten kommt, besitzt du weniger als die Münzen, die du von deinem Maniküretrinkgeld in einer Milchflasche unter der Küchenspüle spartest. Oft zeigtest du auf einen Vogel, eine Blume oder ein Paar Spitzenvorhänge von Walmart und sagtest bloß »schön« – egal was es war. »Đẹp quá!«, hast du einmal ausgerufen und auf den Kolibri gedeutet, der über der cremefarbenen Orchidee im Nachbarsgarten schwirrte. »So schön!« Du fragtest mich nach seinem Namen, und ich antwortete auf Englisch – der einzigen Sprache, die ich dafür hatte. Du nicktest ausdruckslos.

Am nächsten Tag hattest du den Namen schon vergessen, die Silben entschlüpften deiner Zunge geradewegs. Als ich aber dann aus der Stadt nach Hause kam, sah ich den Futterspender für den Kolibri in unserem Vorgarten, die Glaskugel mit dem klaren, süßen Nektar zwischen bunten Plastikblüten, die nadelkopfgroße Löcher für den Schnabel hatten. Auf meine Frage hin fischtest du den zerdrückten Karton aus dem Müll, zeigtest auf den Kolibri, seine verschwimmenden Flügel und den zugespitzten Schnabel – ein Vogel, den du nicht benennen, aber nichtsdestoweniger erkennen konntest. »Đẹp quá«, hast du gelächelt. »Đẹp quá.«

ALS DU AN jenem Abend heimkamst und nachdem Lan und ich unsere Portion Tee-Reis gegessen hatten, liefen wir gemeinsam die vierzig Minuten zu Fuß zum C-Town-Supermarkt an der New Britain Avenue. Es war kurz vor Ladenschluss und die Gänge waren leer. Du wolltest Ochsenschwanz kaufen, um für die kalte Winterwoche, die vor uns lag, *Bún bò Huế* zu kochen.

Lan und ich standen Hand in Hand neben dir an der Theke, während du die Vitrine mit den marmorierten Fleischstücken absuchtest. Als du die Ochsenschwänze nicht entdecken konntest, hast du dem Mann hinter der Theke gewunken. Auf seine Frage, was es denn sein dürfe, zögertest du einen Augenblick zu lang und sagtest dann auf Vietnamesisch: »*Đuôi bò. Anh có đuôi bò không?*«

Sein Blick huschte über jedes unserer Gesichter. Er beugte sich vor, fragte noch mal. Lans Hand zuckte in meinem Griff. Ungelenk hast du dir den Zeigefinger ins Kreuz gehalten, dich leicht zur Seite gedreht, damit der Mann deinen Rücken sehen konnte, dann hast du mit dem Finger gewackelt und muhende

Laute von dir gegeben. Mit deiner anderen Hand deutetest du ein Paar Hörner über deinem Kopf an. Du drehtest und wendetest dich hierhin und dorthin, behutsam, damit er jeden Teil dieser Vorstellung sehen konnte: Hörner, Schwanz, Ochse. Aber er lachte nur, zuerst mit der Hand über dem Mund, dann lauter, dröhnend. Der Schweiß auf deiner Stirn reflektierte das Neonlicht. Eine mittelalte Frau, die mit einer Packung Lucky-Charms-Getreideflocken an uns vorbeischlurfte, unterdrückte ein Lächeln. Deine Zunge spielte an einem Backenzahn, wölbte deine Wange nach außen. Es sah aus, als würdest du in trockener Luft ertrinken. Du versuchtest es mit den paar Brocken Französisch, die du noch aus deiner Kindheit wusstest. »*Derrière de vache!*«, verlangtest du mit vortretender Halsschlagader. Zur Antwort rief er ins Hinterzimmer, von wo ein kleinerer Mann mit dunkleren Gesichtszügen auftauchte und dich auf Spanisch ansprach. Lan ließ meine Hand los und schloss sich dir an – Mutter und Tochter wirbelten muhend im Kreis, Lan die ganze Zeit kichernd.

Die Männer brüllten vor Lachen, schlugen auf die Theke, ließen ihre riesigen weißen Zähne aufblitzen. Mit schweißnassem, flehendem Gesicht wandtest du dich an mich: »Sag's ihnen. Los, sag ihnen, was wir brauchen.« Ich wusste nicht, dass Ochsenschwanz *Ochsenschwanz* hieß. Ich schüttelte den Kopf, Scham wallte in mir hoch. Die Männer starrten, ihr Glucksen war jetzt verwirrter Sorge gewichen. Der Supermarkt machte zu. Einer von ihnen fragte noch einmal, mit gesenktem Kopf, ernst. Aber wir wandten uns ab. Wir gaben den Ochsenschwanz auf, die *Bún bò Huế*. Stattdessen schnapptest du dir eine Packung Wonder Bread und ein Glas Mayonnaise. Keiner von uns sprach, als wir zur Kasse gingen; unsere Worte plötzlich überall falsch, selbst in unseren Mündern.

In der Schlange vor der Kasse, zwischen den Schokoriegeln und den Zeitschriften, stand ein Korb mit Stimmungsringen. Du nahmst einen Ring in die Hand und suchtest, nachdem du auf den Preis gesehen hattest, drei aus, einen für jeden von uns.

»Đẹp quá«, sagtest du nach einem Augenblick kaum hörbar. »Đẹp quá.«

Kein Gegenstand ist in einer ständigen Beziehung zur Lust, schrieb Barthes. *Für den Schriftsteller jedoch ist es die Muttersprache.* Doch was, wenn die Muttersprache verkümmert ist? Was, wenn diese Sprache nicht nur das Symbol einer Leere, sondern diese Leere selbst ist, was, wenn die Zunge herausgeschnitten ist? Kann man Lust an Verlust haben, ohne sich völlig zu verlieren? Das Vietnamesisch, das ich spreche, habe ich von dir, eines, dessen Diktion und Syntax nur das Niveau der zweiten Klasse erreichen.

Du warst noch ein Mädchen, als du von einem Bananenwäldchen aus zusahst, wie dein Schulhaus nach einem amerikanischen Napalmangriff einstürzte. Mit fünf hast du das letzte Mal ein Klassenzimmer betreten. Unsere Muttersprache ist so überhaupt keine Mutter – sondern eine Waise. Unser Vietnamesisch eine Zeitkapsel, die den Punkt markiert, an dem deine Bildung endete, zu Asche zerfiel. Ma, unsere Muttersprache zu sprechen heißt, nur teilweise auf Vietnamesisch zu sprechen, aber ganz auf Krieg.

In jener Nacht schwor ich mir, dass ich nie wieder stumm sein würde, wenn es nötig wäre, dass ich für dich spreche. So begann meine Laufbahn als offizieller Familiendolmetscher. Von da an füllte ich unsere Lücken, unser Schweigen, Stottern, wann immer ich konnte. Ich wechselte fließend zwischen den Sprachen. Ich zog unsere Sprache aus und trug mein Englisch wie eine Maske, damit andere mein Gesicht – und damit deins – sehen konnten.

Als du für ein Jahr in der Uhrenfabrik gearbeitet hast, rief ich deinen Chef an und sagte in meinem höflichsten Ton, dass meine Mutter ihre Stunden gerne reduziert hätte. Warum? Weil sie erschöpft war, weil sie in der Badewanne einschlief, wenn sie von der Arbeit heimkam, und ich Angst hatte, sie würde ertrinken. Eine Woche später wurden deine Stunden gekürzt. Oder jene Male – es waren so viele –, wenn ich die Nummer im Victoria's-Secret-Katalog anrief und BHs, Wäsche, Leggings für dich bestellte. Wie die Telefonistinnen nach einem Moment der Verwirrung über die präpubertäre Stimme am anderen Ende der Leitung ganz verzückt darüber waren, dass ein Junge Unterwäsche für seine Mutter kaufte. Sie girrten in den Hörer und legten oft noch kostenlosen Versand obendrauf. Und sie fragten mich nach der Schule, nach Zeichentrickserien, die ich gerade sah, sie erzählten mir von ihren eigenen Söhnen, dass du, meine Mutter, ja so glücklich sein musstest.

Ich weiß nicht, ob du glücklich bist, Ma. Ich habe nie gefragt.

ZURÜCK IN DER Wohnung, hatten wir keinen Ochsenschwanz. Dafür hatten wir drei Stimmungsringe, die jetzt an unseren Fingern schimmerten. Du lagst bäuchlings auf einer Decke auf dem Fußboden, während Lan, die auf deinem Rücken saß, die Verspannungen und harten Stränge in deinen Schultern durchknetete. Im grünlichen Licht des Fernsehers sahen wir alle wie unter Wasser aus. Lan murmelte mal wieder einen Monolog aus einem ihrer Leben vor sich hin, jeder Satz ein

Remix des letzten, und hielt nur inne, um dich zu fragen, wo es wehtat.

Zwei Sprachen schließen sich gegenseitig aus, heißt es sinngemäß bei Barthes, *und ziehen eine dritte an.* Manchmal sind unsere Worte dünn gesät oder einfach spurlos verschwunden. In diesem Fall kann die Hand, wenn auch in den Grenzen von Haut und Knorpel, diese dritte Sprache sein, die zuspricht, wo die Zunge versagt.

Es stimmt, dass wir im Vietnamesischen selten *Ich liebe dich* sagen, und wenn, dann fast immer auf Englisch. Zärtlichkeit und Liebe drücken sich für uns am deutlichsten durch fürsorgliche Gesten aus: weiße Haare auszupfen, oder wenn du dich an deinen Sohn schmiegst, um Flugturbulenzen abzufedern und damit seine Furcht. Oder so wie jetzt – als Lan mir zurief: »Little Dog, komm her und hilf mir, deiner Mutter zu helfen.« Also knieten wir uns links und rechts neben dich und wälzten die verhärteten Stränge in deinen Oberarmen hinab zu den Handgelenken, den Fingern aus. Für einen Augenblick, beinahe zu flüchtig, um etwas zu bedeuten, ergab das Sinn – dass drei Menschen auf dem Boden, durch Berührung miteinander verbunden, so etwas wie das Wort *Familie* ergaben.

Du stöhntest vor Erleichterung, als wir deine Muskeln lockerten, dich nur mit unserem Gewicht aufdröselten. Du hieltest einen Finger hoch und nuscheltest in die Decke: »Bin ich glücklich?«

Erst als ich den Stimmungsring sah, begriff ich, dass du mich wieder einmal darum batest, einen weiteren Abschnitt Amerika zu übersetzen. Bevor ich etwas erwidern konnte, streckte mir Lan ihre Hand vor die Nase. »Guck auch bei mir, Little Dog – bin ich glücklich?« Mag sein, dass ich, indem ich dir hier schreibe, jedem schreibe – denn wie kann es einen privaten Raum geben, wenn es keinen geschützten Raum gibt, wenn der Name eines Jungen ihn sowohl behüten als auch zu einem Tier machen kann?

»Ja. Ihr seid beide glücklich«, antwortete ich, obwohl ich nicht den leisesten Schimmer hatte. »Ihr seid beide glücklich, Ma. Ja«, sagte ich noch einmal. Weil von Schüssen, Lügen und Ochsenschwanz – oder wie du deinen Gott auch nennen magst – nur *Ja* und immer wieder *Ja* ertönen sollte, in Kreisen und Spiralen, nur um sich selbst existieren zu hören. Weil Liebe sich, wenn sie wahrhaftig ist, wiederholt. Und sollte sie das nicht auch?

»Ich bin glücklich!« Lan warf ihre Arme in die Luft. »Ich bin glücklich auf meinem Boot. Mein Boot, siehst du?« Sie zeigte auf deine Arme, die wie Ruder ausgebreitet dalagen, wir beide auf je einer Seite. Ich blickte hinab und sah es; sah, wie sich die braungelblichen Dielenbretter in trüb wirbelnde Strömungen auflösten. Ich sah die träge, vor Öl und totem Gras schlammige Ebbe. Wir ruderten nicht, wir trieben dahin. Wir klammerten uns an eine Mutter von der Größe eines Floßes, bis die Mutter unter uns im Schlaf schwer wurde. Und wir verstummten bald, während das Floß uns alle diesen großen braunen Strom namens Amerika hinabtrug, und wir endlich glücklich waren.

E S IST EIN schönes Land, je nachdem, wohin du blickst. Je nachdem, wohin du blickst, siehst du vielleicht die Frau, die auf dem Randstreifen des Feldwegs wartet, im Arm hält sie ein Baby in einem himmelblauen Tuch. Sie wiegt ihre Hüften, stützt den Kopf des kleinen Mädchens mit der hohlen Hand. *Du wurdest geboren*, denkt die Frau, *weil niemand sonst gekommen ist*. Weil niemand sonst kommt, fängt sie an zu summen.

Eine Frau, noch keine dreißig, drückt ihre Tochter am Rand eines Feldwegs an sich, in einem schönen Land, in dem zwei Männer mit M-16-Gewehren auf sie zutreten. Sie befindet sich an einem Kontrollpunkt, einer Schranke aus Sperrdraht und Genehmigung, die man zur Waffe geschliffen hat. Hinter ihr haben die Felder Feuer gefangen. Rauch flicht sich durch einen papierweißen Himmel. Ein Mann hat schwarzes Haar, der andere einen gelben Schnurrbart wie eine Narbe aus Sonnenlicht. Benzingestank dringt aus ihren Uniformen. Die Gewehre schwenken, als sie auf sie zugehen, die Metallbolzen blinken in der Nachmittagssonne.

Eine Frau, ein Mädchen, ein Gewehr. Es ist eine alte Geschichte, eine, die jeder erzählen kann. Ein Leitmotiv in einem Film, um das du dich drücken könntest, wenn es nicht schon hier, nicht schon hingeschrieben wäre.

Es hat angefangen zu regnen; die Erde um die nackten Füße der Frau ist mit rotbraunen Anführungsstrichen gesprenkelt – ihr Körper ein Gegenstand, mit dem gesprochen wird. Ihr weißes Hemd klebt schweißnass an ihren hageren Schultern.

Rings um sie ist das Gras platt, als hätte Gott seine Hand dorthin gedrückt, um Raum für einen achten Tag zu schaffen. Es ist ein schönes Land, hat man ihr gesagt, je nachdem, wer du bist.

ES IST KEIN Gott – natürlich nicht –, sondern ein Helikopter, ein Huey, ein anderer Gebieter, dessen Wind so stark ist, dass ein paar Schritte weiter ein Vogel, eine flusengraue Grasmücke, hilflos im hohen Gras flattert.

Das Auge des Mädchens füllt sich mit dem Hubschrauber im Himmel; ihr Gesicht ein herabgefallener Pfirsich. Ihr blaues Tuch mit schwarzer Tinte endlich sichtbar gemacht – so.

Irgendwo tief im Innern dieses schönen Landes, so geht die Legende, haben sich fünf Männer um einen Tisch versammelt, im hinteren Teil einer Garage, die von einer Handvoll Leuchtröhren erhellt wird. Unter ihren Sandalen Pfützen aus Motoröl, in denen sich nichts spiegelt. Am einen Ende des Tisches eine Ansammlung von Glasflaschen. Der Wodka darin schimmert im grellen Licht, während die Männer sich unterhalten und ungeduldig auf ihren Ellbogen herumrutschen. Sie verstummen jedes Mal, wenn einer von ihnen zum Eingang blickt. Das Tor sollte nun jeden Moment aufgehen. Das Licht flackert einmal, bleibt an.

Der Wodka wird in Schnapsgläser gegossen, manche rostberingt von der Aufbewahrung in einer Blechmunitionskiste aus dem früheren Krieg. Die schweren Gläser knallen *tock*, *tock* auf den Tisch, das Brennen wird von einer Dunkelheit verschluckt, die der Durst sich ausgemalt hat.

Wenn ich sage, die Frau. Wenn ich sage, die Frau wird gebeugt, ihr Rücken gekrümmt unter diesem Sturm von Menschenhand, würdest du sie sehen? Von dort, wo du stehst, Zentimeter, will sagen, Jahre von dieser Seite – würdest du sehen, wie der blaue Tuchfetzen über ihre Schlüsselbeine flattert, das Muttermal an ihrem linken Augenwinkel, während sie die Männer anblinzelt, die jetzt nahe genug sind, um zu erkennen, dass es gar keine Männer sind, sondern Jungen – achtzehn, zwanzig höchstens? Kannst du hören, wie der Helikopter die Luft so laut zerschreddert, dass das Schreien darunter erstickt wird? Der Wind ist rau geworden durch den Rauch – und etwas anderes, wie schweißgetränkt und wie verkohlt, dessen eigenartiger und beißender Geruch von einer Hütte am Feldrand herüberweht. Eine Hütte, die vor Augenblicken noch von menschlichen Stimmen erfüllt war.

Das Ohr an die Brust der Frau gedrückt, lauscht das Mädchen, als horchte es an einer Tür. Etwas arbeitet in der Frau, als ob Sätze gebildet oder vielmehr umgebildet würden. Mit geschlossenen Augen forscht sie danach, ihre Zunge auf der Klippe dieses einen Satzes.

Der Junge hebt das M-16; die Adern grün über seinem Handgelenk, die blonden Haare an seinen Armen vor Schweiß braun geworden. Die Männer trinken und lachen, Lücken zwischen den Zähnen, als hätten sie den Mund voller Würfel. Dieser Junge mit seinen schief hochgezogenen Lippen, die grünen Augen rosa getrübt. Dieser Obergefreite. Die Männer sind gewillt zu vergessen, einige tragen noch den Duft vom Make-up ihrer Frauen an den Fingern. Sein Mund öffnet und schließt sich schnell. Er stellt eine Frage oder Fragen, er verwandelt die Luft um seine Worte in Witterung. Gibt es eine Sprache für das Herausfallen aus Sprache? Ein Aufblitzen von Zähnen, ein Finger am Abzug, die Worte des Jungen: »Nein. Nein, zurücktreten.«

Das olivgrüne Schildchen, das auf die Brust des Jungen genäht ist, rahmt ein Wort. Obwohl sie es nicht lesen kann, weiß die Frau, dass es ein Name ist, etwas, das eine Mutter oder ein Vater gab, das schwerelos ist und doch einem, wie ein Herzschlag, für immer gehört. Sie weiß, der erste Buchstabe des Namens ist ein C. Wie in Go Công, dem Straßenmarkt, wo sie vor zwei Tagen gewesen war, mit der brummenden Neontafel über dem Eingang. Sie war hingegangen, um ein neues Tragetuch für das Mädchen zu kaufen. Das Tuch hatte mehr gekostet, als sie ursprünglich ausgeben wollte, aber als sie es taghell zwischen den grauen und braunen Ballen entdeckte, blickte sie zum Himmel auf, auch wenn es schon dunkel war, und bezahlte im Wissen, es würde nichts zum Essen übrig bleiben. Himmelblau.

ALS SICH DAS Tor öffnet, stellen die Männer ihre Gläser hin, der eine oder andere kippt noch rasch den letzten Schluck hinunter. Ein Makakenaffe von der Größe eines Hundes wird an Halsband und Leine von einem gebeugten Mann mit gekämmtem weißen Haar hereingeführt. Niemand spricht. Alle zehn Augen sind auf das Tier gerichtet, das in den Raum torkelt; sein rotbraunes Fell stinkt nach Alkohol und Fäkalien, nachdem es den ganzen Morgen mit Wodka und Morphium in seinem Käfig zwangsgefüttert worden war.

Die Neonbeleuchtung summt gleichmäßig über ihnen, als wäre die Szene ein Traum, den das Licht hat.

Eine Frau steht am Rand eines Feldwegs und bittet in einer durch Geschützfeuer obsolet gemachten Sprache darum, das Dorf betreten zu dürfen, wo ihr Haus steht, gestanden hat seit Jahrzehnten. Es ist eine menschliche Geschichte. Jeder kann sie erzählen. Kannst du es? Kannst du erzählen, wie der Regen jetzt schwer herabströmt, mit seinen Schriftzeichen das blaue Tuch schwarz sprenkelt?

Die Wucht der Soldatenstimme drängt die Frau zurück. Sie wankt, rudert mit einem Arm in der Luft, dann hat sie ihr Gleichgewicht wiedergefunden, drückt das Mädchen an sich.

Eine Mutter und eine Tochter. Ein Ich und ein Du. Es ist eine alte Geschichte.

Der gebeugte Mann lotst den Affen unter den Tisch, führt seinen Kopf durch ein in die Mitte gesägtes Loch. Eine weitere Flasche wird geöffnet. Der Schraubverschluss klickt, als die Männer nach ihren Gläsern greifen.

Der Affe wird an einen Pfosten unter dem Tisch gebunden. Er zappelt herum. Weil sein Maul mit einem Lederriemen geknebelt ist, klingen die Schreie mehr wie das Spulen einer Angelrute, die weit über einen Teich ausgeworfen wird.

BEIM ANBLICK DER Buchstaben auf der Brust des Jungen erinnert sich die Frau an ihren eigenen Namen. Der Besitz eines Namens ist schließlich alles, was sie gemeinsam haben.

»Lan«, sagt sie. »Tên tôi là Lan.« Ich heiße Lan.

Lan, was Lilie bedeutet. Lan, der Name, den sie sich selbst gab, weil sie namenlos geboren wurde. Weil ihre Mutter sie schlicht Sieben nannte, der Reihenfolge, in der sie nach ihren Geschwistern auf die Welt gekommen war.

Erst nachdem sie als Siebzehnjährige aus der arrangierten Ehe mit einem dreimal so alten Mann ausgebrochen war, hatte Lan sich einen eigenen Namen gegeben.

Eines Abends brühte sie ihrem Mann eine Kanne Tee auf, gab etwas Lotuswurzel hinein, um seinen Schlaf zu vertiefen, und wartete dann, bis die Palmblattwände unter seinem

Schnarchen erzitterten. Durch die unbewegte schwarze Nacht machte sie sich, einen tiefhängenden Zweig nach dem andern ertastend, auf den Weg.

Stunden später klopfte sie an die Haustür ihrer Mutter. »Sieben«, sagte ihre Mutter durch einen Spalt in der Tür, »ein Mädchen, das seinen Mann verlässt, ist die Fäulnis einer Ernte. Das weißt du. Wie kannst du das vergessen?« Und dann schloss sich die Tür, doch zuvor drückte eine Hand, knorrig wie Holz, ein Paar Perlenohrringe zwischen Lans Finger. Das bleiche Gesicht der Mutter durch die zufallende Tür ausgelöscht, das Klicken des Schlosses.

Die Grillen zirpten zu laut, als Lan auf die nächste Straßenlaterne zustolperte und dann einem schwach beleuchteten Pfosten nach dem andern folgte, bis in der Dämmerung die nebelverschmierte Stadt auftauchte.

Ein Reiskuchenverkäufer bemerkte sie in ihrem schmutzigen, am Kragen eingerissenen Nachthemd und schenkte ihr eine Kugel Klebreis, die auf einem Bananenblatt dampfte. Sie ließ sich auf die Erde fallen und kaute, den Blick starr auf den Boden zwischen ihren kohlrabenschwarzen Füßen gerichtet.

»Woher kommst du?«, fragte der Mann. »Ein junges Mädchen wie du, das zu dieser Stunde herumirrt? Wie heißt du?«

Ihr Mund füllte sich mit jenem saftigen Laut, der Klang bildete sich durch den halbgekauten Reis, bevor der Vokal aufstieg, sein langgezogenes ah, Laang ausgesprochen. Lilie, beschloss sie, einfach so. »Lan«, sagte sie, und der Reis fiel von ihren Lippen wie abgesplittertes Licht. »Tên tôi là Lan.«

Rings um den Soldatenjungen, die Frau und das Mädchen ist das unerbittliche Sattgrün des Landes. Aber welches Land? Welche Grenze, die überschritten und ausgelöscht, geteilt und neu geordnet wurde?

Sie ist jetzt achtundzwanzig und hat eine Tochter geboren, die sie in ein Stück Himmel einwickelt, gestohlen von einem klaren Tag.

Manchmal, nachts, wenn das Mädchen schläft, starrt Lan in die Dunkelheit und stellt sich eine andere Welt vor, eine Welt, in der eine Frau am Straßenrand ihre Tochter in den Armen hält, in der klaren Luft darüber ein Sichelmond. Eine Welt, in der es keine Soldaten oder Hueys gibt und die Frau bloß im warmen Frühlingsabend spazieren geht, in der sie ganz sanft mit ihrer Tochter spricht und ihr die Geschichte eines Mädchens erzählt, das vor ihrer gesichtslosen Jugend davonrannte, nur um sich selbst den Namen einer Blume zu geben, die sich öffnet wie etwas Entzweigerissenes.

MAKAKEN SIND, WEIL sie so allgegenwärtig und winzig sind, die meistgejagten Primaten in Südostasien.

Der weißhaarige Mann hebt sein Glas und bringt einen Toast aus, grinst. Fünf andere Gläser stoßen in der Luft mit seinem an, und das Licht fällt in jedes Schnapsglas, weil es das Gesetz so will. Der Schnaps wird von den Armen derselben Männer gehoben, die gleich den Schädel des Makaken mit einem Skalpell aufschneiden werden, ihn öffnen wie den Deckel von einem Glas. Die Männer essen reihum, tauchen die Gehirnbissen in Alkohol oder schlucken sie mit Knoblauchzehen von einem Porzellanteller, während der Affe die ganze Zeit unter ihnen strampelt. Die Angelrute wird weiter und weiter ausgeworfen, ohne jemals auf Wasser zu treffen. Die Männer glauben, dass dieses Mahl sie vor Impotenz schützt, dass das Heilmittel umso stärker ist, je heftiger der Affe tobt. Sie tun es für die Zukunft ihrer Gene – für das Wohl ihrer Söhne und Töchter.

Sie wischen sich den Mund an Servietten mit Sonnenblumendruck ab, die sofort braun werden, dann fetttriefend zerreißen. Später in der Nacht werden die Männer, mit vollem Magen und wie neugeboren, nach Hause kommen und sich an ihre Frauen und Geliebten drücken. Der Duft blumigen Make-ups, Wange an Wange.

Ein Geräusch jetzt wie Tröpfeln. Flüssige Wärme gleitet den Saum ihrer schwarzen Hose hinab. Der stechende Geruch von Ammoniak. Lan pinkelt sich vor den zwei Jungen ein – und drückt das Mädchen fester an sich. Um ihre Füße ein Kreis nasser Hitze. Von allen Säugetieren ist das Gehirn des Makakenaffen dem menschlichen am ähnlichsten.

Die Regentropfen färben sich dunkel, als sie über die schmutzverkrusteten Wangen des blonden Soldaten rinnen, bevor sie sich wie Auslassungspunkte an seinem Kiefer sammeln.

»*Yoo Et Aye numbuh won*«, sagt sie, während ihr immer noch Urin von den Knöcheln tropft. Dann noch mal, lauter. »*Yoo Et Aye numbuh won*. Nicht peng peng.« Sie hebt ihre freie Hand zum Himmel, als ob jemand sie geradewegs hinaufziehen könnte. »Nicht peng peng. *Yoo Et Aye numbuh won*.«

Ein Zucken im linken Auge des Jungen. Ein grünes Blatt, das in einen grünen Teich hinabschwebt.

Er starrt das kleine Mädchen an, seine zu helle Haut. Das Mädchen, das Hong heißt, oder Rose. Warum schließlich nicht noch eine Blume? Hong – eine Silbe, die der Mund auf einmal schlucken muss. Lilie und Rose, Seite an Seite neben dieser atemweißen Straße. Eine Mutter mit einer Tochter im Arm. Eine Rose, die dem Stiel einer Lilie entwächst.

Er registriert Roses Haar, seinen widerspenstigen Zimtton,

der um die Schläfen ins Blonde geht. Als sie den Blick des Soldaten sieht, drückt Lan das Gesicht des Mädchens schützend an ihre Brust. Der Junge betrachtet dieses Kind, bei dessen gelbem Körper das Weiß zum Vorschein kommt. Er könnte ihr Vater sein, denkt er, begreift er. Jemand, den er kennt, könnte ihr Vater sein – sein Unteroffizier, Gruppenführer, Zugkamerad, Michael, George, Thomas, Raymond, Jackson. Er denkt an sie, das Gewehr fest umschlungen, seine Augen auf dem Mädchen mit dem amerikanischen Blut vor dem amerikanischen Gewehr.

»Nicht peng peng … *Yoo Et Aye* …«, flüstert Lan jetzt. »*Yoo Et Aye* …«

Makaken sind zu Selbstzweifel und Selbstbeobachtung fähig, Eigenschaften, die man früher nur Menschen zuschrieb. Einige Arten haben Verhalten gezeigt, das auf Urteilsvermögen, Kreativität, selbst Sprache hindeutet. Sie können sich an zurückliegende Eindrücke erinnern und diese bei der Lösung eines Problems in der Gegenwart anwenden. Mit anderen Worten: Makaken nutzen Erinnerung zum Überleben.

DIE MÄNNER WERDEN essen, bis das Tier leer ist, und während sie löffeln, erlahmen die Bewegungen des Affen, seine Glieder werden schwer und träge. Wenn nichts mehr übrig ist, wenn all seine Erinnerungen sich im Blutstrom der Männer aufgelöst haben, stirbt der Affe. Eine weitere Flasche wird geöffnet werden.

Wer wird in der Geschichte verloren sein, die wir uns erzählen? Wer wird in uns verloren sein? Eine Geschichte schluckt man schließlich auch hinunter. Den Mund beim Sprechen zu öffnen bedeutet, nur die Knochen übrig zu lassen, die unerzählt bleiben. Es ist ein schönes Land, weil du immer noch atmest.

Yoo Et Aye numbuh won. Hände hoch. Nicht schießen. Yoo Et Aye numbuh won. Hände hoch. Nicht peng peng.

Es regnet noch immer, denn auch Nahrung ist eine Gewalt. Der erste Soldat tritt zurück. Der zweite schiebt die hölzerne Abgrenzung zur Seite, winkt die Frau durch. Die Häuser hinter ihr sind jetzt zu Lagerfeuern dezimiert. Als der Huey in den Himmel zurückkehrt, richten sich die Reishalme nur leicht zerzaust wieder auf. Das Tuch von Schweiß und Regen indigo-durchtränkt.

An einer Wand in der Garage, unter der abgebeizten Farbe kommt hier und da der Backstein zum Vorschein, hängt ein Brett als behelfsmäßiger Altar. Darauf stehen gerahmte Bilder, aus denen Heilige, Diktatoren und Märtyrer, die Toten – eine Mutter und ein Vater – herausstarren, kein Blinzeln in den Augen. In den Glasrahmen die Spiegelbilder der Söhne, wie sie sich auf ihren Stühlen zurücklehnen. Einer von ihnen gießt den Rest aus der Flasche über den klebrigen Tisch, wischt ihn sauber. Ein weißes Tuch wird über den ausgehöhlten Geist des Makaken gebreitet. Das Licht in der Garage flackert einmal, bleibt an.

Die Frau steht in einem Kreis ihrer eigenen Pisse. Nein – sie steht auf dem lebensgroßen Punkt ihres eigenen Satzes, am Leben. Der Junge dreht um, kehrt auf seinen Posten am Kontrollpunkt zurück. Der andere Junge tippt sich an den Helm und nickt ihr zu, sein Finger, wie sie bemerkt, immer noch am Abzug. Es ist ein schönes Land, weil du immer noch darin bist. Weil du Rose heißt und meine Mutter bist und das Jahr 1968 ist – das Jahr des Affen.

Die Frau tritt vor. Als sie an dem Wachposten vorbeigeht,

wirft sie einen letzten Blick auf das Gewehr. Die Mündung ist, wie sie bemerkt, nicht dunkler als der Mund ihrer Tochter. Das Licht flackert einmal, bleibt an.

ICH WERDE VON den qualvollen Lauten eines Tieres wach. Das Zimmer ist so dunkel, dass ich nicht sagen kann, ob meine Augen überhaupt auf sind. Durch das gekippte Fenster weht eine Brise herein und mit ihr eine Augustnacht, lau, aber versetzt mit dem Bleichgeruch von Pflanzenschutzmitteln – das Aroma manikürter Vorortgärten –, und ich begreife, dass ich nicht zu Hause bin.

Ich setze mich am Bettrand auf und lausche. Vielleicht ist es eine Katze, die bei einer Rangelei mit einem Waschbären verletzt wurde. In der schwarzen Luft versuche ich, ins Gleichgewicht zu kommen, und trete auf den Flur hinaus. Durch eine angelehnte Tür am anderen Ende fällt eine rote Lichtklinge. Das Tier ist im Haus. Ich taste mich an der Wand entlang, die sich bei der hohen Luftfeuchtigkeit wie nasse Haut anfühlt. Ich gehe auf die Tür zu und höre, wie das Tier zwischen den Wimmerlauten atmet – schwerer jetzt, seine Lunge muss gewaltig sein, viel größer als von einer Katze. Ich spähe durch den roten Türspalt – und sehe ihn: den Mann, der vornübergebeugt in einem Lesesessel sitzt, seine weiße Haut und noch viel weißeren Haare sehen rosig, roh aus unter einem scharlachroten Lampenschirm. Und da fällt es mir wieder ein: Ich bin in Virginia, es sind Sommerferien. Ich bin neun. Der Mann heißt Paul. Er ist mein Großvater – und er weint. Ein wolkiges Polaroidfoto zittert zwischen seinen Fingern.

Ich drücke die Tür auf. Die rote Klinge weitet sich. Er sieht geistesabwesend zu mir auf; dieser Weiße mit wässrigen Augen. Es gibt keine Tiere hier außer uns.

PAUL HATTE LAN 1967 kennengelernt, als er mit der US Navy in Cam Ranh Bay stationiert war. Sie begegneten sich in einer Bar in Saigon, gingen miteinander aus, verliebten sich und heirateten ein Jahr später gleich vor Ort im Hauptgerichtsgebäude. Meine ganze Kindheit hindurch hing ihr Hochzeitsfoto an der Wohnzimmerwand. Darauf strahlt ein magerer, kindlicher Bauernjunge aus Virginia mit rehbraunen Augen, noch keine dreiundzwanzig, über seiner fünf Jahre älteren Braut – ein Bauernmädchen, wie es sich traf, aus Go Công, und Mutter der zwölfjährigen Mai aus ihrer arrangierten ersten Ehe. Während ich mit meinen Puppen und Spielzeugsoldaten spielte, schwebte dieses Foto über mir, ein gespenstisch leuchtendes Heiligenbild aus dem Zentrum eines Bebens, in dem mein eigenes Leben seinen Ursprung nahm. Angesichts des hoffnungsvoll lächelnden Paars ist es kaum vorstellbar, dass das Foto während eines der bittersten Kriegsjahre aufgenommen wurde. Zum Zeitpunkt seiner Aufnahme, mit Lans Hand auf Pauls Brust, ihr perlenbesetzter Ehering ein Kranz aus Licht, warst du bereits ein Jahr alt – und hast in einem Kinderwagen ein paar Schritte hinter dem Fotografen gewartet, als das Blitzlicht aufflammte.

Eines Tages, ich war gerade dabei, ihre weißen Haare zu zupfen, erzählte mir Lan, dass sie sich nach ihrer Ankunft in Saigon, nachdem sie aus ihrer hoffnungslosen ersten Ehe weggelaufen war und keine Arbeit hatte finden können, zuletzt für amerikanische GIs auf Fronturlaub prostituiert hatte. Mit grimmigem Stolz, als verteidige sie sich vor einer Geschworenenbank, sagte sie: »Ich habe getan, was jede Mutter tun würde – ich fand einen Weg, zu essen. Wer kann mich verurteilen, he? Wer?« Das Kinn vorgereckt, ihr Kopf hoch erhoben vor irgendeiner unsichtbaren Person am anderen Ende des Zimmers. Erst als ihr das Wort entschlüpfte, begriff ich, dass sie tatsächlich mit jemandem sprach: ihrer Mutter. »Ich wollte nie, Ma. Ich wollte mit dir nach Hause −« Sie warf sich nach vorn. Die Pinzette entglitt meinem Griff, klirrte auf den Holzboden. »Ich habe nie darum gebeten, eine Hure zu sein«, schluchzte sie. »Ein Mädchen, das seinen Mann verlässt, ist die Fäulnis einer Ernte«, wiederholte sie das Sprichwort ihrer Mutter. »Ein Mädchen, das seinen …« Sie wiegte sich mit geschlossenen Augen vor und zurück, das Gesicht zur Zimmerdecke gehoben, als ob sie wieder siebzehn wäre.

Erst dachte ich, sie erzählt nur wieder eins ihrer halberfundenen Märchen, doch die Details wurden konkreter, als sich ihre Stimme, an einzelnen und doch bezeichnenden Stellen der Erzählung, zwischen Gestammel tiefenscharf stellte. Wie die Soldaten nach einer Mischung aus Teer, Rauch und Pfefferminzkaugummis rochen − der Kampfgeruch war ihrem Fleisch so tief eingeprägt, dass er sich auch mit energischem Duschen nicht abschrubben ließ. Lan ließ Mai in der Obhut ihrer Schwester im Dorf zurück und mietete von einem Fischer einen fensterlosen Raum am Fluss, wohin sie die Soldaten mitnahm. Wie der Fischer, der unter ihr wohnte, sie durch einen Riss in der Wand beobachtete. Und die Stiefel der Soldaten, wenn diese ins Bett gekrochen kamen und sie von den Füßen schleuderten, so schwer waren, dass es klang wie dumpf aufschlagende Körper, und Lan unter den forschenden Händen der Männer zusammenzuckte.

Lan verkrampfte sich beim Sprechen, ihr Tonfall war angestrengt, als sie in die Tiefen ihres zweiten Ichs abtauchte. Danach wandte sie sich mir zu, ein Finger huschte über ihre Lippen. »Schhhh. Sag's nicht deiner Mutter.« Dann schnippte sie mir gegen die Nase, ihre Augen hell über einem fieberhaften Grinsen.

Der schüchterne, verlegene Paul jedoch, der oft mit den Händen im Schoß sprach, war kein Freier – weshalb sie sich auf Anhieb verstanden. Lan zufolge waren sie sich tatsächlich in einer Bar begegnet. Es war spät, beinahe Mitternacht, als sie dort ankam. Sie war für diesen Tag gerade mit der Arbeit fertig und bestellte sich einen Schlaftrunk, als sie den »verirrten Jungen«, wie sie ihn nannte, allein an der Theke sitzen sah. An diesem Abend fand in einem der Nobelhotels eine Veranstaltung für Militärangehörige statt, und Paul wartete auf eine Verabredung, die nie auftauchte.

Sie unterhielten sich bei Drinks und fanden Gemeinsamkeiten in ihrer Kindheit auf dem Land; beide waren sie in der »Pampa« ihrer jeweiligen Heimatländer aufgewachsen. Diese zwei unwahrscheinlichen Hinterwäldler müssen eine vertraute Ausdrucksweise gefunden haben, die die Kluft zwischen ihren entzweiten Landessprachen überbrückte. Trotz ihrer höchst unterschiedlichen Lebenswege sahen sich beide in eine dekadente und unüberschaubare Großstadt verpflanzt, die immer wieder von Bombenangriffen überzogen wurde. Es war dieser vertraute Zufall, durch den sie in einander Zuflucht fanden.

Eines Nachts, zwei Monate nach ihrer ersten Begegnung, hatten Lan und Paul sich in einer Einzimmerwohnung in Saigon verschanzt. Die Stadt wurde von einem massiven nordvietnamesischen Angriff überrollt, der später als die berüchtigte Tet-Offensive bekannt werden sollte. Die ganze Nacht über lag Lan wie ein Fötus zusammengerollt mit dem Rücken zur Wand, neben ihr Paul, der seine Dienstwaffe, eine 9-mm-Pistole, auf die Tür gerichtet hielt, während die Stadt von Sirenen und Mörserfeuer aufgerissen wurde.

OBWOHL ES ERST drei Uhr morgens ist, wirkt das Zimmer durch den Lampenschirm wie in den letzten Augenblicken eines unheilvollen Sonnenuntergangs. Im elektrischen Summen der Glühbirne erkennen Paul und ich einander auf der Türschwelle wieder. Er wischt sich die Augen mit der flachen Hand und winkt mich mit der anderen zu sich. Rasch lässt er das Foto in seine Brusttasche gleiten und setzt heftig blinzelnd seine Brille auf. Ich setze mich auf den Sessel aus Kirschbaumholz neben ihn.

»Geht's dir gut, Grandpa?«, sage ich, noch benebelt vom Schlaf. Sein Lächeln verbirgt eine Grimasse. Ich meine, dass ich wieder ins Bett gehe, dass es ja noch früh sei, aber er schüttelt den Kopf.

»Ist schon gut.« Er schnieft und setzt sich mit ernstem Gesichtsausdruck auf. »Es ist nur – ach, ich muss nur immerzu an dieses Lied denken, das du vorhin gesungen hast, das, äh …« Er sieht blinzelnd zu Boden.

»Ca trù«, springe ich ein, »die Volkslieder – die Grandma immer gesungen hat.«

»Ja, genau.« Er nickt heftig. »Ca trù. Ich lag da in der verflixten Dunkelheit und ich hatte es immer noch im Ohr, ich schwör's. Es ist so lange her, dass ich diesen Klang gehört habe.« Er sieht mich forschend an, senkt den Blick wieder zu Boden. »Ich muss wohl verrückt werden.«

Früher am Abend hatte ich nach dem Essen ein paar Volkslieder für Paul gesungen. Er hatte danach gefragt, was ich während des Schuljahrs gelernt hatte, und weil ich schon von Sommer durchdrungen war und mir nichts einfiel, gab ich ein paar der Lieder zum Besten, die ich von Lan gelernt hatte. Nach besten Kräften trug ich ein klassisches Wiegenlied vor, das sie gerne sang. Im Original dargeboten von der berühmten Khánh Ly, handelt das Lied von einer singenden Frau unter Leichen, die verstreut über bewaldete Abhänge liegen. Während sie suchend den Blick über die Gesichter der Toten gleiten lässt, fragt die Sängerin im Refrain des Lieds: *Und wer von euch, wer von euch ist meine Schwester?*

Erinnerst du dich, Ma, wie Lan es immer wie aus dem Nichts anstimmte? Wie sie es einmal auf der Geburtstagsfeier meines Freundes Junior sang, und ihr Gesicht hatte nach einem einzigen Heineken die Farbe von rohem Hackfleisch? Du hast ihre Schulter geschüttelt und ihr gesagt, sie solle aufhören, aber sie ließ sich nicht beirren, wiegte sich beim Singen mit geschlossenen Augen hin und her. Gott sei Dank verstanden Junior und seine Familie kein Vietnamesisch. Für sie war das einfach meine verrückte Großmutter, die mal wieder vor sich hin nuschelte. Doch du und ich konnten es hören. Irgendwann hast du dein kaum angerührtes Stück Ananaskuchen auf den Tisch geknallt, und die Gläser klirrten, während sich die Leichen, in Lans Mund Gestalt geworden, um uns stapelten.

Ebendieses Lied sang ich Paul zwischen den leeren Tellern mit Flecken von überbackenen Ziti vor. Danach klatschte er bloß, und wir machten uns an den Abwasch. Ich hatte vergessen, dass auch Paul, der es sich während des Krieges beigebracht hatte, Vietnamesisch versteht.

»Es tut mir leid«, sage ich jetzt und betrachte den roten Lichtfleck unter seinen Augen. »Ist sowieso ein dummes Lied.«

Draußen fährt der Wind durch die Ahornbäume, ihre ausgespülten Blätter schlagen gegen die Schindelwand. »Lass uns doch einfach Kaffee machen, Grandpa.«

»Ja, gut.« Er hält inne, lässt sich etwas durch den Kopf gehen und erhebt sich dann. »Lass mich nur eben meine Hausschuhe anziehen. Morgens ist mir immer kalt. Etwas stimmt nicht mit mir, ich schwör's. Es ist das Alter. Deine Körperwärme zieht sich in deine Mitte zurück, bis deine Füße eines Tages zu Eis geworden sind.«

Er lacht fast, reibt sich stattdessen am Kinn, hebt dann den Arm, als holte er zum Schlag aus – und dann das Klicken, die Lampe geht aus, das Zimmer nun in violette Stille getaucht. Aus dem Schatten seine Stimme: »Ich bin froh, dass du da bist, Little Dog.«

»WARUM SAGEN DIE, dass er schwarz ist?«, hattest du mich vor Wochen daheim in Hartford gefragt und auf Tiger Woods im Fernsehen gezeigt. Blinzelnd sahst du den weißen Ball auf dem Tee an. »Seine Mutter ist aus Taiwan, ich habe ihr Gesicht gesehen, aber die sagen immer schwarz. Sollten sie nicht wenigstens halbgelb sagen?« Du hast deine Doritostüte gefaltet und sie dir unter den Arm geklemmt. »Wieso?«, fügtest du mit geneigtem Kopf, in Erwartung meiner Antwort, hinzu.

Als ich sagte, ich wisse es nicht, hast du die Augenbrauen hochgezogen. »Was soll das heißen?« Du hast dir die Fernbedienung geschnappt und den Ton lauter gestellt. »Hör genau zu und sag uns, warum dieser Mann nicht taiwanesisch ist«, sagtest du und fuhrst dir mit der Hand durchs Haar. Deine Augen folgten Woods, der kreuz und quer durchs Bild lief und sich gelegentlich hinkauerte, um seinen Schlag abzuschätzen. Es war momentan keine Rede von seiner ethnischen Zusammensetzung, und die Antwort, die du fordertest, kam nie. Du hast dir eine Haarsträhne vors Gesicht gezogen und sie gemustert. »Ich muss mehr Lockenwickler kaufen.«

Lan, die neben uns auf dem Boden saß und gerade einen

Apfel schälte, sagte, ohne aufzusehen: »Der Junge da sieht mir nicht taiwanesisch aus. Er wirkt puerto-ricanisch.«

Du hast mir einen Blick zugeworfen und dich seufzend zurückgelehnt. »Alles Gute ist immer woanders«, hast du nach einer Weile gesagt und umgeschaltet.

ALS WIR 1990 nach Amerika kamen, gehörte Farbe zu den ersten Dingen, von denen wir erfuhren und doch nichts wussten. Mit dem Betreten unserer Einzimmerwohnung in der überwiegend lateinamerikanischen Nachbarschaft an der Franklin Avenue änderten sich auch die Maßstäbe der Hautfarbe – und damit unsere Gesichter. Lan, die in Vietnam noch als dunkel gegolten hatte, war jetzt heller. Und du, Ma – so hell, dass du als Weiße »durchgingst«, wie jenes Mal, als wir bei Sears waren und die blonde Verkäuferin sich zu mir herabbeugte, mir übers Haar strich und dich fragte, ob ich »Ihr eigenes oder adoptiert« sei. Erst als du mit gesenktem Kopf zu stammeln anfingst, dein Englisch hoffnungslos entstellt, bemerkte sie ihren Irrtum. Obgleich du danach aussahst – deine Zunge verriet dich.

Ohne Englisch geht man in Amerika offensichtlich nicht »durch«.

»Nein, Madam«, sagte ich zu der Frau in meinem rudimentären Englisch. »Das ist meine Mom. Ich bin aus ihrem Arschloch gekommen und ich hab sie sehr lieb. Ich bin sieben. Nächstes Jahr werde ich acht. Alles in Ordnung. Mir geht's gut und dir? Fröhliche Weihnachten frohes neues Jahr.« Der Schwall betrug genau achtzig Prozent der Sprache, die ich damals beherrschte, und ich erschauerte vor Vergnügen, als die Worte aus mir herausströmten.

Wie viele vietnamesische Mütter warst du der Ansicht, über weibliche Geschlechtsteile zu sprechen sei, vor allem von Mutter zu Sohn, tabu – sodass du, wenn das Gespräch auf Geburt kam, immer erwähntest, dass ich aus deinem Anus gekommen war. Du gabst mir dann immer einen spielerischen Klaps auf den Kopf und sagtest: »Bei dieser Riesenbirne ist mir damals fast das Arschloch gerissen!«

Erschrocken, mit pochender Dauerwelle, drehte sich die Verkäuferin um und klackerte auf ihren Absätzen davon. Du sahst zu mir herab. »Was zum Teufel hast du gesagt?«

1966, BEVOR ER erneut nach Vietnam ging, war Earl Dennison Woods, Oberstleutnant der United States Army, in Thailand stationiert gewesen. Dort hatte er Kultida Punsawad kennengelernt, eine Thailänderin, die als Sekretärin bei den Behörden der US-Army in Bangkok arbeitete. Als sie knapp ein Jahr zusammen waren, zogen Earl und Kultida nach Brooklyn, New York, wo sie 1969 heirateten. Earl kehrte für eine letzte Dienstzeit nach Vietnam zurück, von 1970 bis 1971, kurz bevor die amerikanische Intervention in den Konflikt dahinzuschwinden begann. Als Saigon fiel, schied Earl offiziell aus der Armee aus, um sein neues Leben anzufangen und, vor allem, seinen neugeborenen Sohn aufzuziehen – der, nur sechs Monate nachdem der letzte US-Helikopter von der amerikanischen Botschaft in Saigon abgehoben hatte, auf die Welt gekommen war.

Dem Profil zufolge, das ich vor einer Weile auf ESPN gelesen habe, war der Geburtsname des Jungen Eldrick Tont Woods. Sein Vorname eine einmalige Wortschöpfung aus dem E in »Earl« und dem K in »Kultida«. Seine Eltern, deren

Zuhause in Brooklyn aufgrund ihrer Mischehe immer wieder von Vandalismus heimgesucht wurde, hatten beschlossen, säulengleich den Namen ihres Sohnes zu flankieren. Eldricks zweiter Vorname, Tont, ist ein traditioneller thailändischer Name, den seine Mutter ihm gab. Kurz nach seiner Geburt jedoch erhielt der Junge einen Spitznamen, der bald auf der ganzen Welt berühmt werden sollte.

Eldrick »Tiger« Woods, einer der größten Golfspieler der Welt, ist wie du, Ma, ein Kind des Vietnamkriegs.

PAUL UND ICH sind in seinem Garten, wo wir frisches Basilikum für ein Pestorezept pflücken, das er mir zu zeigen versprochen hatte. Wir machen erfolgreich einen Bogen um die Vergangenheit, nachdem wir sie früher an diesem Morgen gestreift haben. Stattdessen unterhalten wir uns über Eier aus Freilandhaltung. Er hält beim Pflücken inne, zieht seine Kappe über die Stirn und lässt sich mit Feuereifer darüber aus, wie Antibiotika bei industriell gehaltenen Hühnern Infektionen verursachen, dass die Bienen aussterben und wie ohne sie die gesamte Nahrungsversorgung des Landes in weniger als drei Monaten zusammenbrechen würde. Und dass man Olivenöl bei niedriger Hitze erwärmen sollte, da beim Verbrennen krebserregende Stoffe entstehen.

Wir weichen uns aus, um vorwärtszukommen.

Im Garten nebenan wirft ein Nachbar seinen Laubbläser an. Die Blätter flattern und landen leise tickend auf der Straße. Als Paul sich bückt, um an einem Ambrosiakraut zu rupfen, fällt das Foto aus seiner Tasche und landet mit der Vorderseite nach oben im Gras. Ein schwarzweißes Polaroidbild, kaum größer als eine Streichholzschachtel, das eine Gruppe junger

Leute mit vor Lachen verschwommenen Gesichtern zeigt. Obwohl Paul es schnell wieder einsteckt, kaum dass es den Boden berührt, mache ich darauf die zwei Gesichter aus, die ich nur zu gut kenne: Paul und Lan, Arm in Arm, die Augen strahlend vor so seltener Ausgelassenheit, dass es gestellt wirkt.

In der Küche schüttet mir Paul Raisin Bran mit Wasser in eine Schüssel, genau wie ich es mag. Er lässt sich an den Tisch plumpsen, nimmt seine Kappe ab und langt nach einem der bereits fertig gerollten Joints, die wie Zuckersticks in einer Teetasse liegen. Vor drei Jahren war bei Paul Krebs diagnostiziert worden, woran, wie er glaubte, der Umgang mit Agent Orange während seiner Militärzeit schuld war. Der Tumor saß in seinem Nacken, gleich über der Wirbelsäule. Zum Glück hatten die Ärzte ihn entdeckt, bevor er Metastasen in Pauls Gehirn bilden konnte. Nach einem Jahr fehlgeschlagener Chemotherapie hatte man entschieden, zu operieren. Die ganze Prozedur von der Diagnose bis zur vorläufigen Heilung hatte sich beinahe zwei Jahre hingezogen.

Während er sich jetzt auf seinem Stuhl zurücklehnt, schützt Paul eine Flamme mit der hohlen Hand und zieht sie über die Länge des Joints. Er saugt, die Spitze glüht vor meinen Augen auf. Er raucht, wie man nach einer Beerdigung raucht. An der Küchenwand hinter ihm hängen Buntstiftzeichnungen von Generälen aus dem Bürgerkrieg, die ich für ein Schulprojekt angefertigt hatte. Du hattest sie Paul vor Monaten geschickt. Der Rauch zieht über das primärfarbene Profil Stonewall Jacksons, verflüchtigt sich dann.

Bevor du mich zu Paul brachtest, hattest du mich zu Hause in Hartford auf deinem Bett Platz nehmen lassen, einen tiefen Zug von der Zigarette genommen und es mir einfach gesagt.

»Hör zu. Nein, sieh mich genau an, ich mein's ernst. Hör

zu.« Du hast beide Hände auf meine Schultern gelegt, während der Rauch um uns dichter wurde. »Er ist nicht dein Großvater. Okay?«

Die Worte drangen in mich ein wie durch eine Vene.

»Das heißt, er ist auch nicht mein Vater. Verstanden? Sieh mich an.« Wenn man neun ist, weiß man, wann man den Mund halten muss, was ich also tat, im Glauben, du wärst einfach unglücklich und dass alle Töchter irgendwann das Gleiche über ihre Väter sagen müssen. Aber du fuhrst fort, mit ruhiger und kühler Stimme, wie Stein für Stein auf eine lange Mauer gelegt. Lan war, sagtest du, als sie Paul in jener Nacht in der Bar in Saigon traf, bereits im vierten Monat schwanger. Der Vater – der echte Vater – war nur irgendein amerikanischer Freier. Gesichtslos, namenlos, *los*. Abgesehen von dir. Alles, was von ihm bleibt, bist du, bin ich. »Dein Großvater ist niemand.« Du hast dich zurückgelehnt, die Zigarette wanderte wieder zu deinen Lippen.

Bis zu diesem Moment hatte ich geglaubt, dass mich wenigstens etwas mit diesem Land verband, ein Großvater, der ein Gesicht, eine Identität hatte, ein Mann, der lesen und schreiben konnte, der anrief, wenn ich Geburtstag hatte. Dass ich ein Teil von ihm war und seinen amerikanischen Namen im Blut hatte. Jetzt war dieses Band gekappt.

Du bist aufgestanden, Gesicht und Haare in Unordnung, um die Marlboro in die Spüle zu schnippen. »Alles Gute ist woanders, Kleines. Ich sag's ja. Alles.«

Als er sich nun über den Tisch lehnt, das Foto sicher in seiner Hemdtasche verstaut, setzt Paul dazu an, mir zu erzählen, was ich bereits weiß. »Hey«, sagt er, die Augen glasig vom Marihuana. »Ich bin nicht, wer ich bin. Ich meine …«, er stippt den Joint in sein halbvolles Wasserglas. Es zischt. Unberührt knistern meine Raisin Bran in ihrer roten Keramikschüssel. »Ich bin nicht, wer deine Mama sagt, dass ich bin.« Sein Blick bleibt gesenkt, als er darüber spricht, sein Redefluss von gelegentlichem Schweigen unterbrochen, dann wieder fast flüsternd, wie ein Mann, der bei Tagesanbruch sein Gewehr reinigt und dabei Selbstgespräche führt. Und ich ließ es zu. Ich ließ zu, dass er sich alles von der Seele redete. Ich hinderte ihn nicht daran, weil man gar nichts verhindern kann, wenn man neun ist.

EINES ABENDS AUF seinem letzten Fronteinsatz in Vietnam fand sich Earl Woods von feindlichem Beschuss in die Enge getrieben. Die amerikanische Waffenbasis, auf der er stationiert war, drohte von einer großen nordvietnamesischen und Vietcong-Einheit überrannt zu werden. Die meisten amerikanischen GIs hatten sich bereits abgesetzt. Woods war nicht allein – neben ihm in ihrer Zwei-Jeep-Kolonne saß zusammengekauert Lieutenant Colonel Vuong Dang Phong. Phong, wie Woods ihn beschrieb, war ein furchtloser Pilot und Befehlshaber, mit einem skrupellosen Blick fürs Detail. Und er war ein enger Freund. Als der Feind rund um die verlassene Basis einfiel, drehte sich Phong zu Woods um und versicherte ihm, sie würden es überleben.

Für die nächsten vier Stunden saßen die beiden Freunde in ihren Jeeps, ihre olivgrünen Uniformen dunkel vor Schweiß. Woods umklammerte seinen M-79-Granatwerfer, während Phong am MG-Geschützturm der Jeeps stand. So überlebten sie die Nacht. Später würden die zwei auf Phongs Zimmer im Basislager einen trinken – und sich glänzend gelaunt über Baseball, Jazz und Philosophie unterhalten.

Seine ganze Zeit in Vietnam hindurch war Phong Woods Vertrauter. Vielleicht ist zwischen zwei Menschen, die sich mit dem Leben vertrauen, eine so enge Freundschaft unausweichlich. Vielleicht war es ihr beiderseitiges Anderssein, das sie zueinander hinzog – Woods, der halb afroamerikanisch, halb indianisch im amerikanischen Süden der Rassentrennung aufgewachsen war, und Phong, ein Erbfeind in den Augen seiner Landsleute, der in einer Armee diente, die in ihrem Kern von weißen amerikanischen Generälen geführt wurde. Wie auch immer – bevor Woods Vietnam verließ, schworen sich die beiden, dass sie sich finden würden, nachdem die Helikopter, die Bomber und das Napalm abgezogen wären. Keiner von beiden wusste, dass es das letzte Mal war, dass sie sich sahen.

Als hochrangiger Oberst wurde Phong neununddreißig Tage nach der Eroberung Saigons von den nordvietnamesischen Behörden verhaftet. Er wurde in ein Umerziehungslager gesteckt, wo er gefoltert, ausgehungert und zu erdrückender Zwangsarbeit verurteilt wurde.

Ein Jahr später starb Phong im Alter von siebenundvierzig Jahren in Haft. Sein Grab sollte erst ein Jahrzehnt später entdeckt werden, als seine Kinder seine Gebeine für eine Umbettung in die Nähe seiner Heimatprovinz exhumieren ließen – die Inschrift des letzten Grabsteins: *Vuong Dang Phong*. Doch Earl Woods kannte seinen Freund nie anders als »Tiger Phong« – oder einfach Tiger, ein Spitzname, den Woods ihm für seine Leidenschaft im Kampf gegeben hatte.

Am 30. Dezember 1975, ein Jahr vor Tiger Phongs Tod und von seiner Gefängniszelle aus auf der anderen Seite des Erdballs, hielt Earl in Cypress, Kalifornien, einen neugeborenen Jungen im Arm. Der Junge trug bereits den Namen Eldrick, doch als er in die Augen des Babys blickte, wusste Earl, dass der Junge nach seinem besten Freund Tiger heißen müsste. »Eines Tages würde mein alter Freund ihn im Fernsehen sehen … und sagen: ›Das muss Woodys Junge sein‹, und wir würden uns wiederfinden«, erklärte Earl später in einem Interview.

Tiger Phong starb im Lager an Herzversagen, höchstwahrscheinlich verursacht durch Unterernährung und Erschöpfung. Doch für kurze acht Monate zwischen 1975 und 1976 waren die zwei wichtigsten Tiger in Earl Woods' Dasein zeitgleich am Leben, teilten den gleichen Planeten, der eine am zerbrechlichen Ende einer brutalen Vergangenheit, der andere gerade am Beginn eines eigenen Vermächtnisses. Der Name »Tiger«, aber auch Earl selbst, war zu einer Brücke geworden.

Als Earl schließlich von Tiger Phongs Tod erfuhr, hatte Tiger Woods bereits sein erstes US-Masters gewonnen. »Junge, wie das wehtut«, sagte Earl. »Ich habe dieses alte Gefühl im Bauch, dieses Kampfgefühl.«

ICH ERINNERE MICH an den Tag, an dem du deinen ersten Gottesdienst besuchtest. Juniors Dad war ein hellhäutiger Dominikaner, seine Ma eine schwarze Kubanerin, und sie gingen in die Baptistenkirche in der Prospect Avenue, wo niemand sie fragte, warum sie ihre R rollten und woher sie *wirklich* kamen. Ich war schon ein paarmal mit den Ramirez in die Kirche gegangen, wenn ich am Samstag dort übernachtet hatte und am nächsten Morgen in Juniors geliehenem Sonntagsanzug zum Gottesdienst mitgenommen wurde. An jenem Tag hast du auf Dionnes Einladung beschlossen, hinzugehen – aus Höflichkeit, aber auch weil die Kirche bald ablaufende Lebensmittel verteilte, die von lokalen Supermärkten gespendet wurden.

Du und ich, wir waren die einzigen gelben Gesichter in der Kirche. Aber als Dionne und Miguel uns ihren Freunden vorstellten, wurden wir mit warmem Lächeln empfangen. »Willkommen im Haus meines Vaters«, sagten die Leute dauernd. Und ich erinnere mich, dass ich mich fragte, wie so viele Menschen untereinander verwandt sein, alle vom selben Dad abstammen konnten.

Ich war verzaubert von der Eindringlichkeit und dem Timbre der Stimme des Pfarrers; seine Predigt über die Arche Noah modulierte er mit zögerndem Tonfall, ließ auf rhetorische Fragen lange Pausen folgen, wodurch die Wirkung der Erzählung noch gesteigert wurde. Ich verliebte mich in die fließenden Bewegungen seiner Hände; es war, als müssten seine Sätze erst von ihm abgeschüttelt werden, um uns zu erreichen. Für mich war das eine neue Art des Ausdrucks, einem Zauber ähnlich, von dem ich in Lans eigenem Geschichtenerzählen nur einen flüchtigen Eindruck erhascht hatte.

Doch an diesem Tag war es das *Lied*, das mir einen neuen Blickwinkel auf die Welt eröffnete, das heißt auf dich. In dem Augenblick, da Klavier und Orgel in die ersten vollen Akkorde von »His Eye Is on the Sparrow« hineintosten, erhob sich die ganze Gemeinde raschelnd und ließ die Arme über die Köpfe schwingen, manche drehten sich im Kreis. Hunderte Absätze hämmerten auf die Dielen. Mitten im Tumult der Drehungen, der fliegenden Mäntel und Schals spürte ich ein Zwicken an meinem Handgelenk. Deine Fingernägel waren weiß, als sie sich in meine Haut gruben. Dein Gesicht hob sich mit geschlossenen Augen zur Decke, du sagtest etwas zu dem Engelfresko über uns.

Unter dem Händeklatschen und Schreien konnte ich es erst nicht hören. Ringsum ein einziges Kaleidoskop aus Farbe und Bewegung, während satte Orgel- und Trompetennoten von der Blaskapelle durch die Kirchenbänke herabschallten. Ich wand meinen Arm aus deinem Griff. Als ich mich vorbeugte, hörte ich deine Worte unter dem Lied – du sprachst mit deinem Vater. Deinem echten Vater. Mit tränenüberströmten Wangen schriest du fast. »Wo bist du, Ba?«, drängtest du auf Vietnamesisch, während du von einem Fuß auf den andern tratest. »Wo steckst du? Komm und hol mich! Hol mich hier raus! Komm zurück und hol mich.« Es war vielleicht das erste Mal überhaupt, dass in der Kirche Vietnamesisch gesprochen wurde. Aber niemand starrte dich mit fragendem Blick an. Niemand sah bei der gelbweißen Frau zweimal hin, die in ihrer eigenen Zunge redete. Über alle Bänke hinweg schrien auch andere Menschen voller Aufregung, Freude, Zorn oder Erschöpfung. Es war dort, im Innern des Liedes, wo du dich verirren durftest und doch nicht irrtest.

Ich starrte den kleinkindgroßen Gips-Jesus an, der seitlich von der Kanzel hing. Seine Haut schien unter dem Stampfen der Füße zu pochen. Er betrachtete seine versteinerten Zehen mit einem Ausdruck matter Verwunderung, als wäre er soeben aus einem tiefen Schlaf erwacht, nur um sich rot und für immer an diese Welt genagelt zu finden. Ich sah ihn so lange an, dass ich, als ich mich zu deinen weißen Sneakern umdrehte, fast erwartete, eine Blutlache um deine Füße zu sehen.

Tage später hörte ich »His Eye on the Sparrow« aus der Küche erklingen. Du warst am Tisch, wo du deine Maniküretechniken an Modellhänden aus Gummi übtest. Dionne hatte dir eine Kassette mit Gospelsongs gegeben, und du summtest bei der Arbeit mit, während die körperlosen Hände mit ihren bonbonfarben glänzenden Fingern von der Arbeitsfläche emporsprossen, die Handflächen geöffnet wie damals in der Kirche.

Doch anders als die dunkleren Hände in der Gemeinde der Ramirez waren die Hände in deiner Küche rosa und beige, die einzigen Farben, in denen sie erhältlich waren.

1964: ALS ER seinen massiven Bombenfeldzug in Nordvietnam startete, sagte General Curtis LeMay, damaliger Inspekteur der U. S. Air Force, er plane, die Vietnamesen »zurück in die Steinzeit« zu bomben. Ein Volk zu vernichten heißt so, es in der Zeit zurückzuwerfen. Das US-Militär würde schließlich über zehntausend Tonnen Bomben über einem Land abwerfen, das nicht größer als Kalifornien ist – und damit noch die Zahl aller eingesetzten Sprengkörper im Zweiten Weltkrieg übertreffen.

1997: Tiger Woods gewinnt das US-Masters, seinen ersten großen Titel im professionellen Golf.

1998: Vietnam eröffnet seinen ersten professionellen Golfplatz, angelegt auf einem ehemals von der U. S. Air Force zerbombten Reisfeld. Eines der Grüns entstand durch die Aufschüttung eines Bombenkraters.

PAUL BRINGT SEINEN Teil der Geschichte zu Ende. Und ich will es ihm sagen. Ich will ihm sagen, dass seine Tochter, die nicht seine Tochter ist, ein halbweißes Kind in Go Công war, weshalb die anderen Kinder sie Geistermädchen nannten, Lan eine Verräterin und Hure nannten, weil sie mit dem Feind schlief. Wie sie ihr das kastanienbraun schimmernde Haar abschnitten, als sie, die Arme beladen mit Körben voll Bananen und Zucchini, vom Markt heimlief, sodass nur ein paar Strähnen über ihrer Stirn übrig blieben, wenn sie zu Hause ankam.

Wie sie ihr, nachdem keine Haare mehr da waren, Büffelschei-
ße ins Gesicht und auf die Schultern klatschten, um sie *wieder
braun* zu machen, als ob heller geboren zu werden ein Unrecht
wäre, das sich umkehren ließe. Vielleicht, wird mir jetzt klar,
war es dir deshalb so wichtig, wie Tiger Woods im Fernsehen
genannt wurde; dass Hautfarbe für dich eine feststehende und
unantastbare Tatsache sein musste.

»Vielleicht solltest du mich nicht mehr Grandpa nennen.«
Pauls Wangen werden nach innen gesogen, als er am zweiten
Joint zieht, ihn aufraucht. Er sieht wie ein Fisch aus. »Dieses
Wort, es fühlt sich jetzt vielleicht ein bisschen komisch an,
oder?«

Ich denke kurz darüber nach. Ulysses Grants Buntstiftpor-
trät bebt in einem Luftzug durch das dunkler werdende Fenster. »Nein«, sage ich nach einem Augenblick, »ich hab keinen
anderen Grandpa. Darum will ich dich weiter so nennen.«

Er nickt resigniert, seine bleiche Stirn und weißen Haare
im Abendlicht getönt. »Natürlich. Natürlich«, sagt er, als der
Jointstummel mit einem Aufzischen ins Glas fällt und ein
Rauchfaden wie eine geisterhafte Vene an seinen Armen hoch-
wirbelt. Ich starre auf den Inhalt der Schüssel vor mir, jetzt
brauner Matsch.

ES GIBT SO vieles, was ich dir sagen will, Ma. Ich war einmal
naiv genug zu glauben, dass Wissen Klarheit schafft, doch
manche Dinge sind so umflort von Zeichen und Bedeutungen,
von Tagen und Stunden, Namen, die man vergessen, erhalten
und abgelegt hat, dass die Wunde, nur weil man weiß, dass sie
existiert, dadurch noch lange nicht freigelegt wird.

Ich weiß nicht, was ich rede. Was ich meine, ist wohl, dass

ich manchmal nicht weiß, was oder wer wir sind. Es gibt Tage, an denen ich mich wie ein menschliches Wesen fühle, an anderen fühle ich mich mehr wie ein Klang. Ich berühre die Welt nicht als ich selbst, sondern als Echo dessen, der ich gewesen bin. Kannst du mich schon hören? Kannst du mich lesen?

Als ich anfing zu schreiben, hasste ich mich für meine Unsicherheit, was Bilder, Sätze, Ideen anging, sogar den Stift oder das Heft, die ich benutzte. Alles, was ich schrieb, fing mit *vielleicht* und *eventuell* an und endete auf *denke ich* oder *glaube ich*. Doch meine Zweifel sind überall, Ma. Selbst wenn ich weiß, dass etwas die Wahrheit von Knochen hat, fürchte ich, dass dieses Wissen sich auflöst, dass es, selbst wenn ich es hinschreibe, nicht wirklich bleibt. Ich reiße uns wieder auseinander, damit ich uns vielleicht woanders hinbringen kann – wohin genau, weiß ich nicht. So wie ich nicht weiß, wie ich dich nennen soll – Weiße, Asiatin, Waise, Amerikanerin, Mutter?

Manchmal bleiben uns nur zwei Möglichkeiten. Während meiner Recherchen las ich einen Artikel der *Daily Times* von El Paso aus dem Jahr 1884, in dem es um einen weißen Eisenbahnarbeiter ging, der für die Ermordung eines ungenannten Chinesen vor Gericht stand. Das Verfahren war letzten Endes eingestellt worden. Der Richter, Roy Bean, führte an, dass die texanische Rechtsprechung zwar den Mord an einem Menschen verbiete, jedoch nur Weiße, Afroamerikaner oder Mexikaner als menschlich definiere. Der namenlose gelbe Körper wurde nicht für menschlich befunden, weil er nicht in ein Kästchen auf einem Blatt Papier passte. Manchmal wirst du ausgelöscht, noch bevor du die Wahl hast, zu erklären, wer du bist.

Sein oder nicht sein. Das ist hier die Frage.

Als du noch ein Mädchen in Vietnam warst, haben die Kinder aus der Nachbarschaft mit einem Löffel an deinen Armen geschabt und geschrien: »Runter mit dem Weiß, runter mit dem Weiß von ihr!« Irgendwann hast du gelernt zu schwimmen. Du bist tief in den schlammigen Fluss hineingewatet, wo dich niemand erreichen, niemand wegkratzen konnte. Über Stunden hinweg bist du zu deiner eigenen Insel geworden. Zu Hause klapperten deine Zähne vor Kälte, deine Arme waren abgescheuert, warfen Blasen – aber immer noch weiß.

Auf die Frage nach seinen Wurzeln nannte sich Tiger Woods »caschwinasiatisch«, ein Kofferwort, mit dem er seine ethnische Mischung aus chinesisch, thailändisch, schwarz, holländisch und indianisch umschrieb.

Sein oder nicht sein. Das ist hier die Frage. Eine Frage, stimmt, aber keine Wahl.

»ICH ERINNERE MICH, wie ich euch alle mal in Hartford besucht habe – vielleicht ein oder zwei Jahre nachdem ihr aus Vietnam hier angekommen seid –« Paul stützt das Kinn in die Hand und starrt aus dem Fenster, wo ein Kolibri bei dem Plastikfutterspender schwebt. »Ich bin reingekommen, und du hattest dich weinend unter dem Tisch verkrochen. Sonst war niemand zu Hause – oder vielleicht deine Mom – aber sie muss gerade im Bad gewesen sein oder so.« Er hält inne, lässt die Erinnerung aufleben. »Ich habe mich gebückt und dich gefragt, was los ist, und weißt du, was du da gesagt hast?« Er grinst. »Du hast gesagt, dass die anderen Kinder mehr leben als du. Zum Schießen.« Er schüttelt den Kopf. »Wie kommt man auf so was! Ich werde das nie vergessen.« Die Goldkrone seines Backenzahns blitzt im Licht. »›Sie leben mehr, sie leben mehr!‹, hast du geschrien. Wer hat dir denn so einen Quatsch erzählt? Du warst erst fünf, um Himmels willen.«

Das Schwirren des Kolibris draußen klingt beinahe wie menschlicher Atem. Sein Schnabel taucht in die Pfütze gezuckerten Wassers am unteren Ende des Futterspenders. Was für ein schreckliches Leben, denke ich jetzt, wenn man sich so schnell fortbewegen muss, nur um sich nicht von der Stelle zu rühren.

Später machen wir einen Spaziergang, zwischen uns klirrt Pauls braungefleckter Beagle. Es ist kurz nach Sonnenuntergang, und die Luft ist schwer und duftet nach Süßgras und Flieder, der weiß und purpurrot die manikürten Rasen entlangschäumt. Wir nähern uns der letzten Kurve, als eine unscheinbare Dame mittleren Alters mit blondem Pferdeschwanz auf uns zukommt. Sie sagt, wobei sie nur Paul ansieht: »Du hast dir ja endlich einen Gassijungen geholt. Freut mich für dich, Paul!«

Paul bleibt stehen und schiebt sich die Brille auf der Nase hoch, die prompt wieder hinabrutscht. Sie spricht mich an, artikuliert jedes einzelne Wort: »Willkommen. In. Der. Nachbar. Schaft.« Ihr Kopf schnellt jede Silbe heraus.

Ich halte die Hundeleine fest und trete zaghaft lächelnd zurück.

»Nein«, sagt Paul, seine Hand unbeholfen in der Luft, als wedelte er Spinnweben aus dem Weg. »Das ist mein Enkel.« Er lässt das Wort zwischen uns allen schweben, bis es sich fest anfühlt, wie eine Urkunde, wiederholt es dann mit einem Nicken, ich weiß nicht, ob es ihm selbst oder der Frau gilt. »Mein Enkel.«

Ohne mit der Wimper zu zucken, lächelt die Frau. Zu breit.

»Bitte merk dir das.«

Sie lacht, macht eine wegwerfende Geste, bevor sie mir ihre Hand hinstreckt; mein Körper nun lesbar.

Ich lasse sie meine Hand schütteln.

»Na dann – ich bin Carol. Willkommen in der Nachbarschaft. Das meine ich so.« Sie geht weiter.

Wir gehen nach Hause. Wir sprechen nicht. Hinter der Zeile weißer Reihenhäuser zeichnet sich eine Fichtenkolonne reglos gegen einen rötlichen Himmel ab. Die Pfoten des Beagles kratzen auf dem Asphalt, und seine Kette klirrt, während das Tier uns heimzerrt. *Mein Enkel. Das ist mein Enkel.*

ICH WERDE VON zwei Frauen in ein Loch geschleift, finsterer als die Nacht ringsum. Erst als eine von ihnen aufschreit, weiß ich, wer ich bin. Ich sehe ihre Köpfe, schwarzes, vom Schlafen auf dem Boden verfilztes Haar. Die Luft schmeckt scharf nach einer chemischen Erregung, als sie sich im verschwommenen Wageninneren drängeln. Mit schlafgeschwollenen Augen mache ich einzelne Umrisse aus: eine Kopfstütze, ein daumengroßer Filzaffe, der vom Rückspiegel baumelt, ein Stück Metall, kurz aufglänzend, dann verschwunden. Das Auto schert aus der Auffahrt, und am Geruch nach Aceton und Nagellack erkenne ich, dass es dein beige-rostroter Toyota ist. Du und Lan, ihr sitzt vorne und schreit nach etwas, das nicht zum Vorschein kommen will. Die Straßenlichter stürzen vorbei, treffen eure Gesichter hart wie Schläge.

»Er bringt sie um, Ma. Diesmal tut er's«, sagst du außer Atem.

»Wir reiten. Wir reiten schnell wie Hubschrauber.« Lan ist rotgesichtig und völlig von ihren Obsessionen beherrscht. »Wir reiten wohin?« Sie packt den Rücksitzspiegel mit beiden Händen. An ihrer Stimme erkenne ich, dass sie lächelt oder zumindest mit den Zähnen knirscht.

»Er bringt meine Schwester um, Mama.« Du klingst, als würdest du verzweifelt gegen die Strömung eines Flusses anschwimmen. »Ich kenne Carl. Diesmal ist es ernst. Hörst du? Ma!«

Mit zischenden Lauten schaukelt Lan vor dem Spiegel hin und her. »Wir verschwinden hier, was? Wir müssen weit weg,

Little Dog!« Draußen walzt die Nacht vorbei wie horizontale Schwerkraft. Die grünen Ziffern am Armaturenbrett zeigen 3:04 an. Wer hat meine Hände in mein Gesicht getan? Die Reifen quietschen in jeder Kurve. Die Straßen sind leer, und hier drin fühlt es sich wie ein Universum an, ein durch kosmisches Dunkel stürzendes *Alles*, während auf den Vordersitzen die Frauen, die mich großgezogen haben, den Verstand verlieren. Zwischen meinen Fingern ist die Nacht schwarzer Karton. Nur die verfransten Köpfe der beiden stechen dagegen ab, wiegen sich vor mir.

»Keine Angst, Mai.« Du sprichst jetzt mit dir selbst. Dein Gesicht so nah an der Windschutzscheibe, dass das Glas mit einem Kreis beschlägt, der sich im Rhythmus deiner Worte ausdehnt. »Ich komme. Wir kommen.«

Nach einer Weile scheren wir in eine von Continentals gesäumte Straße ein. Der Wagen kriecht, hält dann vor einem Reihenhaus aus grauen Schindeln. »Mai«, sagst du und ziehst die Handbremse an. »Er bringt Mai um.«

Lan, die diese ganze Zeit über den Kopf hin und her geschüttelt hat, hält inne, als hätten die Worte endlich einen kleinen Knopf in ihr gedrückt. »Was? Wer wen bringt um? Wer diesmal stirbt?«

»Ihr bleibt im Auto, alle beide!« Du schnallst dich ab, springst raus und schlurfst auf das Haus zu, die Tür hinter dir bleibt offen.

Es gibt eine Geschichte, die Lan gern erzählte, von der Herrin Triệu, der sagenhaften Kriegerin, die an der Spitze einer Armee von Männern den Einfall der Chinesen im alten Vietnam zurückschlug. An sie muss ich denken, als ich dich jetzt sehe. Wie sie der Legende nach ihre meterlangen Brüste über ihre Schultern warf und mit zwei Schwertern bewaffnet die

Eindringlinge zu Dutzenden ummähte. Wie es eine Frau war, die uns rettete.

»Wer jetzt stirbt?« Lan fährt herum; ihr Gesicht, die Züge schroff unter der Deckenbeleuchtung, zerknittert bei dieser neuen Information. »Wer sterben wird, Little Dog?« Ihre Hand schnellt vor und zurück, wie um eine Tür aufzuschließen, drückt Leere aus. »Jemand dich bringt um? Wieso?«

Aber ich höre nicht hin. Ich kurbele das Fenster herunter, meine Arme brennen bei jeder Drehung. Kühle Novemberluft streicht herein. Mein Magen zieht sich zusammen, als ich sehe, wie du die Vorderstufen hinaufsteigst, die zwanzig Zentimeter lange Machete blitzt in deiner Hand. Schreiend hämmerst du gegen die Tür. »Komm raus, Carl«, sagst du auf Vietnamesisch. »Komm raus, du Scheißer! Ich bringe sie ein für alle Mal nach Hause. Du kannst das Auto haben, gib mir nur meine Schwester.« Bei dem Wort *Schwester* kippt deine Stimme in ein kurzes, abgerissenes Schluchzen über, dann hast du dich wieder in der Gewalt. Du haust mit dem hölzernen Ende der Machete gegen die Tür.

Das Verandalicht geht an, unter der Neonröhre ist dein rosafarbenes Nachthemd plötzlich grün. Die Tür öffnet sich.

Du trittst zurück.

Ein Mann erscheint. Er stürzt halb aus der Tür, während du die Stufen hinab zurückweichst. Die Klinge an deiner Seite gepresst, wie festgenagelt.

»Er hat ein Gewehr«, ruft Lan, jetzt bei klarem Verstand, mit gedämpfter Stimme aus dem Auto. »Rose! Es ist eine Schrotflinte. Sie erschießt zwei Esser auf einmal. Die zerfressen deine Lunge von innen heraus. Little Dog, sag's ihr.«

Deine Hände schweben über deinem Kopf, das Metall klirrt auf die Auffahrt. Der Mann, riesig mit hängenden Schultern unter einem grauen Yankees-Sweatshirt, macht einen Schritt auf dich zu, stößt zwischen zusammengebissenen Zähnen ein paar Worte aus, tritt dann die Machete zur Seite. Mit einem Aufblitzen verschwindet sie im Gras. Du murmelst etwas, machst dich klein, hältst die Hände unters Kinn, die Haltung, die du einnimmst, wenn du im Nagelstudio ein Trinkgeld bekommen hast. Der Mann senkt sein Gewehr, als du zitternd in Richtung Wagen zurückweichst.

»Das ist es nicht wert, Rose«, sagt Lan, die ihren Mund mit beiden Händen bedeckt. »Du kannst ein Gewehr nicht besiegen, geht nicht. Komm zurück, komm zurück in den Hubschrauber.«

»Ma«, höre ich mich mit versagender Stimme sagen. »Ma, komm schon.«

Du schiebst dich langsam auf den Fahrersitz und drehst dich mit flauem Blick zu mir. Ein langes Schweigen. Jetzt fängst du gleich an zu lachen, denke ich, aber dann werden deine Augen feucht. Also sehe ich lieber zu dem Mann, der uns, eine Hand in die Hüfte gestemmt, die ganze Zeit genau beobachtet; das Gewehr, das er sich unter den Arm geklemmt hat, zeigt auf den Boden, schützt seine Familie.

Als du sprichst, ist deine Stimme ausgehöhlt. Ich schnappe nur Bruchstücke auf. Das ist nicht Mais Haus, erklärst du und fummelst an deinem Schlüssel. Das heißt, Mai ist nicht mehr da. Ihr Freund, Carl, der die Angewohnheit hatte, ihren Kopf gegen die Wand zu knallen, ist nicht mehr da. Das ist jemand anderes, ein Weißer mit Schrotflinte und Glatze. Es war ein Missverständnis, sagst du zu Lan. Ein Versehen.

»Aber Mai wohnt doch seit fünf Jahren nicht mehr hier«, sagt Lan unerwartet zärtlich. »Rose …« Ich sehe es nicht, weiß aber, dass sie dir das Haar hinters Ohr streicht. »Mai ist nach

Florida gezogen, erinnerst du dich? Um ihr eigenes Nagelstudio aufzumachen.« Lan ist beherrscht, ihre Schultern entspannt, jemand anderes ist in sie hineingeschlüpft und bewegt jetzt ihre Glieder, ihre Lippen. »Wir fahren heim. Du brauchst Schlaf, Rose.«

Der Motor springt an, das Auto schlingert in eine Kehrtwende. Als wir wegfahren, zielt ein Junge, nicht älter als ich, von der Veranda mit einer Spielzeugpistole auf uns. Die Pistole zuckt, sein Mund macht Knallgeräusche. Sein Vater dreht sich um und brüllt ihn an. Der Junge schießt einmal, dann noch zwei weitere Male. Vom Fenster meines Hubschraubers aus sehe ich ihn an. Ich sehe ihm fest in die Augen und tue es dir gleich. Ich weigere mich zu sterben.

ERINNERUNG IST EINE Entscheidung. Du hast das einmal mit dem Rücken zu mir gesagt, so wie ein Gott es tun würde. Aber wenn du ein Gott wärst, würdest du sie sehen. Du würdest auf dieses Kiefernwäldchen herabblicken, die jungen Triebe an jedem Wipfel hell auflodernd, zartfeucht in ihrem spätherbstlichen Glühen. Du würdest an den Ästen vorbeiblicken, vorbei an dem rostigen Licht, das an den Büscheln zersplittert, die Nadeln eine nach der andern herabfallend unter deinem göttlichen Blick. Du würdest ihnen folgen, wenn sie sich an dem untersten Ast vorbeistürzen, auf den kühlenden Waldboden zu, und auf den zwei Jungen landen, die nebeneinanderliegen, das Blut auf ihren Wangen schon geronnen.

Auch wenn ihre beiden Gesichter mit Blut verschmiert sind, ist es das des größeren Jungen, dessen Augen dunkelgrau sind wie ein Fluss unter einem menschlichen Schatten. Was vom November übrig ist, sickert durch ihre Jeans, ihre dünnen Strickpullover. Wenn du Gott wärst, würdest du bemerken, dass sie zu dir hochstarren. Sie klatschen und singen »This Little Light of Mine« in der Version von Ralph Stanley, die sie früher am Nachmittag auf der Anlage des großen Jungen gehört haben. Das Lieblingslied seines alten Herrn, hatte der große Junge gesagt. Und so wiegen sich ihre Köpfe jetzt hin und her, während ihre Zähne zwischen den Tönen schimmern, und das verkrustete Blut bröckelt von ihren Kiefern, sprenkelt ihre bleichen Kehlen, als das Lied sie in kleinen Dampfwölkchen verlässt. »*This little light of mine, I'm gonna let it shine. This little light of mine, I'm gonna let it shine … All in my house,*

I'm gonna let it shine.« Die Kiefernnadeln fliegen und flirren um sie her in dem winzigen Hauch, der durch die Regung ihrer Glieder entsteht. Die Schnittwunde unter dem Auge des großen Jungen hat sich beim Singen wieder geöffnet, und eine schwarzrote Linie rinnt jetzt sein linkes Ohr hinab, krümmt sich an seinem Nacken und verschwindet im Boden. Der kleinere Junge blickt seinen Freund an, das schrecklich geschwollene Auge, und versucht zu vergessen.

Wenn du Gott wärst, würdest du ihnen sagen, dass sie aufhören sollen zu klatschen. Du würdest ihnen sagen, dass sich festzuhalten das Nützlichste ist, was man mit leeren Händen machen kann. Aber du bist kein Gott.

Du bist eine Frau. Eine Mutter, und dein Sohn liegt unter den Kiefern, während du an einem Küchentisch am anderen Ende der Stadt sitzt und wieder einmal wartest. Gerade hast du zum dritten Mal die Pfanne mit gebratenen Bandnudeln und Frühlingszwiebeln aufgewärmt. Dein Atem beschlägt das Glas, als du aus dem Fenster starrst und danach Ausschau hältst, wie das orange New-York-Knicks-Sweatshirt des Jungen vorbeischießt, der ja sicherlich rennt, weil es schon so spät ist.

Doch dein Sohn ist immer noch unter den Bäumen neben dem Jungen, dem du nie begegnen wirst. Es sind nur wenige Schritte bis zu der gesperrten Fußgängerbrücke, wo zwischen Hunderten Spirituosenminiaturen eine Plastiktüte gegen den Maschendrahtzaun peitscht. Die Jungen beginnen zu zittern; ihr Klatschen langsam, kaum hörbar. Ihre Stimmen sind gedämpft, während der Wind gewaltig über ihnen strömt – Nadeln, die wie Zeiger zerschmetterter Uhren herabklicken.

Es kommt vor, dass dein Sohn spätnachts mit der Vorstellung aufwacht, dass eine Kugel in ihm steckt. Er fühlt sie dann auf der rechten Seite seiner Brust driften, genau zwischen den Rippen. *Die Kugel war schon immer da*, denkt der Junge, älter noch als er selbst, und dass seine Knochen, Sehnen und Adern den Metallsplitter nur umhüllt und in ihm versiegelt haben. *Nicht ich war es*, denkt der Junge, *der im Leib meiner Mutter war, sondern diese Kugel, dieser Samen, um den herum ich erblüht bin.* Selbst jetzt, da die Kälte ringsum herankriecht, fühlt er, wie sie aus seiner Brust herausstößt und seinen Pullover leicht nach außen stülpt. Er tastet nach dem Vorsprung, findet jedoch wie gewohnt nichts. *Sie hat sich zurückgezogen*, denkt er. *Sie will in mir bleiben. Sie ist nichts ohne mich.* Weil eine Kugel ohne Körper ein Lied ohne Ohren ist.

Auf der anderen Seite der Stadt denkst du mit dem Blick zum Fenster daran, die Nudeln ein weiteres Mal aufzuwärmen. Du fegst Fetzen von der Papierserviette, die du zerrupft hast, in deine Handfläche, stehst dann auf, um sie wegzuwerfen. Du setzt dich wieder hin, wartest. Dieses Fenster, dasselbe, vor dem dein Sohn eines Abends, bevor er hereinkam, in dem über ihn fallenden Lichtviereck stehen blieb und dein Gesicht betrachtete, das zu ihm hinausspähte. Der Abend hatte das Glas zu einem Spiegel werden lassen, und du konntest ihn dort nicht sehen, nur die über deine Wangen und Stirn eingekerbten Linien, ein Gesicht, das irgendwie schwer von Stille gezeichnet war. Der Junge, er betrachtet seine Mutter, wie sie nichts betrachtet, sein ganzes Ich im Phantomoval ihres Gesichts, unsichtbar.

Das Lied längst zu Ende, die Kälte ein betäubender Mantel über ihren Nerven. Unter ihrer Kleidung bildet sich Gänsehaut, sodass sich ihre dünnen, durchscheinenden Härchen aufstellen, dann gegen den Stoff ihrer Hemden krümmen.

»Hey Trev«, sagt dein Sohn, das Blut seines Freundes fest

verkrustet auf seiner Wange. »Erzähl mir ein Geheimnis.«
Wind, Kiefernnadeln, Sekunden.

»Was für eins?«

»Einfach so ein … normales Geheimnis. Es muss nicht schlimm sein.«

»Ein normales.« Das Schweigen von Nachdenken, gleichmäßige Atemzüge. Die Sterne über ihnen ein endloser Schmierfleck auf einer eilig abgewischten Tafel. »Kannst du zuerst?«

Auf der anderen Seite der Stadt halten deine Finger beim Trommeln auf dem Resopal inne.

»Okay. Bereit?«

»Ja.«

Du stößt deinen Stuhl zurück, schnappst deinen Schlüssel und gehst zur Tür hinaus.

»Ich habe keine Angst mehr vorm Sterben.«

(Pause, dann Lachen.)

Wie Flusswasser steigt die Kälte zu ihren Kehlen auf.

Ma. Du hast mir einmal gesagt, dass Erinnerung eine Entscheidung ist. Aber wenn du Gott wärst, wüsstest du, es ist eine Flut.

WEIL ICH DEIN Sohn bin, ist das, was ich von Arbeit weiß, auch, was ich von Verlust weiß. Und was ich von beidem weiß, weiß ich von deinen Händen. Ihre einst geschmeidige Form habe ich nie gefühlt; die Innenflächen waren lange, bevor ich auf die Welt kam, schwielig und voller Blasen, dann von drei Jahrzehnten in Fabriken und Nagelstudios weiter verunstaltet. Deine Hände sind scheußlich – und ich hasse alles, was sie dazu werden ließ. Ich hasse es, wie sie zugleich Wrack und Vergeltung eines Traumes sind. Wie du Nacht für Nacht heimgekommen, aufs Sofa gefallen und innerhalb einer Minute eingeschlafen bist. Wenn ich dann mit deinem Glas Wasser zurückkam, hast du meistens schon geschnarcht, deine Hände im Schoß wie zwei halb entschuppte Fische.

Was ich weiß, ist, dass das Nagelstudio mehr ist als ein Arbeitsplatz und eine Werkstatt für Schönheit. Es ist auch ein Ort, wo unsere Kinder aufwachsen – einige von ihnen werden aufgrund der giftigen Dämpfe, die sie jahrelang in ihre sich noch entwickelnden Lungen einatmen, an Asthma erkranken wie Cousin Victor. Das Nagelstudio ist auch eine Küche, wo in den Hinterzimmern unsere Frauen vor riesigen Woks auf dem Boden hocken, die auf elektrischen Kochplatten vor sich hin knacken und zischen, wo Kessel mit *Phở* sieden und die engen Räume mit den dampfenden Aromen von Knoblauch, Zimt, Ingwer, Minze und Kardamom füllen, die sich mit Formaldehyd, Toluol, Aceton, Reinigern und Bleichmitteln vermischen. Ein Ort, wo Folklore, Gerüchte, Lügenmärchen und Witze aus dem alten Land erzählt, weitergesponnen werden und in Hinterzimmern, nicht größer als die Kleiderschränke reicher Leute, plötzlich Gelächter ausbricht, dann rasch abflaut zu einer gespenstischen, unveränderten Stille. Es ist ein provisorisches Klassenzimmer, wo wir frisch vom Schiff, aus dem Flugzeug, der Tiefe ankommen, in der Hoffnung, das Nagelstudio sei nur eine vorübergehende Station – so lange, bis wir auf eigenen Beinen stehen können oder vielmehr unsere Kehlen sich um die englischen Silben geschmiegt haben –, wo wir uns an Maniküretischen über Hefte beugen und Hausaufgaben für Englisch-Abendkurse erledigen, die ein Viertel unseres Lohns verschlingen.

Ich bleib hier nicht lange, sagen wir vielleicht. *Ich hab bald einen richtigen Job.* Doch in den meisten Fällen, manchmal binnen Monaten oder sogar Wochen, kehren wir mit hängendem Kopf in den Laden zurück, unseren Nagelfräser in eine Papiertüte unter den Arm geklemmt, und fragen nach unserem alten Job. Und oftmals wird der Besitzer, sei es aus Mitleid oder Verständnis oder beidem, mit einem Nicken auf einen leeren Arbeitsplatz deuten – denn es gibt immer einen leeren Platz. Weil niemand lange genug bleibt und immer irgendjemand gerade aufgehört hat. Weil es keine Gehälter gibt, keine Krankenversicherung oder Verträge und der Körper das einzige Material ist, von und mit dem gearbeitet wird. Weil er nichts hat, wird er zu seinem eigenen Vertrag, einem Zeichen von Anwesenheit. Das geht jahrzehntelang so, bis unsere Lunge nicht länger atmen kann, ohne zu überblähen, unsere Leber vor Chemikalien verhärtet ist – so kratzen wir uns mit gebrechlichen, von Arthritis entzündeten Händen eine Art Leben zusammen. Ein neuer Einwanderer wird innerhalb von zwei Jahren begreifen, dass das Nagelstudio letztlich ein Ort ist, wo Träume zu dem Wissen verkalken, was es bedeutet, in amerikanischen Leibern – mit oder ohne Staatsbürgerschaft – wach zu sein: schmerzhaft, toxisch, unterbezahlt.

Ich hasse und liebe deine misshandelten Hände dafür, was sie nie sein können.

ES IST SONNTAG. Ich bin zehn. Du öffnest die Tür zum Nagelstudio, und sofort sticht mir das Aceton der Manikürinnen vom Vortag in die Nasenlöcher.

Doch wie immer gewöhnen sich unsere Nasen rasch daran. Du bist nicht die Inhaberin, aber es ist deine Aufgabe, das Nagelstudio jeden Sonntag aufzumachen – dem ruhigsten Tag der Woche. Drinnen schaltest du das Licht ein, schließt die Pediküresessel an, und während ich zum Pausenraum gehe, um Instantkaffee zu brühen, gurgelt das Wasser in den Leitungen unter den Sitzen.

Ohne aufzusehen, sagst du meinen Namen, und ich weiß, dass ich zur Tür gehen, sie aufschließen und das *Geöffnet*-Schild zur Straßenseite umdrehen muss.

In dem Moment sehe ich sie. Um die siebzig, ihr Haar weiß und windzerzaust über einem schmalen Gesicht mit eingesunkenen blauen Augen; sie hat den starren Blick eines Menschen, der über sein ursprüngliches Ziel hinausgelaufen, aber dann einfach weitergegangen ist. Sie späht in den Laden, drückt mit beiden Händen eine Tasche aus burgunderrotem Krokodilleder an sich. Ich öffne die Tür, und sie tritt mit einem leichten Humpeln ein. Der Wind hat ihr den olivfarbenen Schal vom Hals gerissen, jetzt hängt er auf einer Schulter und schleift über den Boden. Du stehst auf, lächelst. »Wie ich kann Ihnen heffen?«, fragst du auf Englisch.

»Eine Pediküre bitte.« Ihre Stimme ist dünn, wie versetzt

mit statischem Rauschen. Ich helfe ihr aus dem Mantel, hänge ihn an den Garderobenständer und führe sie zum Pediküresessel, während du die Düsen im Fußbad anschaltest, das blubbernde Wasser mit Salzen und Lösungsmitteln füllst. Synthetischer Lavendelduft erfüllt den Raum. Ich halte ihren Arm und helfe ihr auf den Sessel. Sie riecht nach getrocknetem Schweiß, vermischt mit der strengen Süße von Drogerieparfüm. Ihr Handgelenk pocht in meinem Griff, als sie sich in den Sitz sinken lässt. Sie scheint noch gebrechlicher zu sein, als sie aussieht. Nachdem sie es sich in dem Ledersessel bequem gemacht hat, spricht sie zu mir. Über das Geräusch der Wasserdüsen kann ich sie nicht hören, aber an ihren Lippen ablesen, dass sie »Danke« sagt.

Als sich die Düsen abschalten, das Wasser warm ist, smaragdgrün mit weißem Schaum marmoriert, bittest du sie, ihre Füße in die Wanne zu stellen.

Sie rührt sich nicht. Ihre Augen geschlossen.

»Ma'am«, sagst du. Das Studio, sonst quirlig vor Menschen oder Musik oder dem Fernseher mit Oprah oder den Nachrichten, ist jetzt still. Nur die Lichter summen über uns. Nach einem Augenblick öffnet sie ihre Augen, das Blau darin rosa umringt und feucht, und beugt sich vor, um an ihrem rechten Hosenbein zu fummeln. Ich trete einen Schritt zurück. Dein Stuhl quietscht, als du, den Blick auf ihre Finger geheftet, dein Gewicht verlagerst. Die bleichen Venen auf ihren Händen zucken, als sie ihr Hosenbein hochrollt. Die Haut ist glänzend, als wäre sie in einen Brennofen gesteckt worden. Die Frau greift weiter hinunter, umfasst ihren Knöchel und löst ruckartig ihr gesamtes unteres Bein vom Knie.

Eine Prothese.

Auf halber Höhe ihres Schienbeins stülpt sich ein bräunlicher Stumpf nach außen, glatt und rund wie das Ende eines Baguettes – oder, was es ja ist, ein amputiertes Bein. Ich werfe dir einen fragenden Blick zu. Ohne zu zögern, holst du deine Feile hervor und beginnst, ihren einen Fuß abzuschrubben, der runzelige Stummel daneben wackelt dabei.

Die Frau legt die Prothese neben sich, ihren Arm schützend um die Wade geschlungen, setzt sich dann ausatmend zurück. »Danke«, sagt sie wieder, lauter, zu deinem Scheitel.

Ich sitze auf dem Teppich und warte darauf, dass du nach dem Handtuch aus dem Wärmeschrank verlangst. Die ganze Pediküre hindurch wiegt die Frau mit halb geschlossenen Augen den Kopf hin und her. Sie stöhnt vor Erleichterung, als du ihre eine Wade massierst.

Als du fertig bist und nach dem warmen Handtuch fragst, lehnt sie sich vor, zeigt auf ihr rechtes Bein, wo der Stumpf diese ganze Zeit trocken über dem Wasser gehangen hatte.

Sie sagt: »Könnten Sie vielleicht«, und hustet in ihre Armbeuge. »Das hier auch. Wenn es nicht zu viel verlangt ist.« Sie hält inne, starrt aus dem Fenster, dann auf ihren Schoß hinab.

Wieder sagst du nichts – sondern drehst dich, kaum merklich, zu ihrem rechten Bein, streichelst gleichmäßig über das stumpfe Ende, bevor du eine Handvoll warmes Wasser darüberschöpfst. Die Rinnsale laufen kreuz und quer über ihre lederne Haut. Wasser tröpfelt. Als du fast fertig mit Abspülen bist, fragt sie dich sanft, beinahe flehend, weiter hinunterzugehen. »Wenn es sowieso gleich viel kostet«, sagt sie. »Ich kann da unten immer noch fühlen. Es ist dumm, aber ich kann es. Ich kann.«

Du hältst inne – eine Regung geht über dein Gesicht.

Dann schlingst du – die Krähenfüße um deine Augen unmerklich vertieft – deine Finger um die Luft, wo ihre Wade sein sollte, knetest sie, als ob sie ganz da wäre. Du arbeitest dich hinab zu ihrem unsichtbaren Fuß, reibst seine hagere Oberseite, bevor du die Ferse mit der anderen Hand umfasst, die Achillessehne entlangkneifst, dann die steifen Stränge an der Unterseite des Knöchels dehnst.

Noch einmal drehst du dich zu mir, und schon laufe ich los, um das Handtuch aus dem Wärmer zu holen. Ohne ein Wort lässt du es unter das Phantomglied gleiten, tupfst die Luft ab, während das Muskelgedächtnis deiner Arme die vertrauten effizienten Bewegungen abruft, sichtbar macht, was nicht da ist, so wie die Bewegungen eines Dirigenten die Musik realer wirken lassen.

Als ihr Fuß wieder trocken ist, schnallt die Frau ihre Prothese an, rollt ihr Hosenbein herab und steigt vom Sessel. Ich hole ihren Mantel und helfe ihr hinein. Du willst zur Kasse hinübergehen, da hält sie dich zurück, legt einen gefalteten Hundertdollarschein in deine Hand.

»Der Herr behüte dich«, sagt sie mit gesenktem Blick – und humpelt hinaus, die Glocke über der Tür läutet zweimal, als sie zuschlägt. Du stehst da, dein Blick geht ins Leere.

Zwischen deinen noch nassen Fingern verdunkelt sich Ben Franklins Gesicht, als du dir den Schein in den BH steckst, nicht in die Kasse, dann bindest du dir die Haare neu zusammen.

AN JENEM ABEND hast du mich gebeten, dir den Rücken zu schaben, während du bäuchlings, das Gesicht auf einem Kissen, auf dem Parkett lagst. Ich kniete mich neben dich, zog dir das schwarze T-Shirt über die Schultern, hakte deinen BH auf. Hunderte Male hatte ich das inzwischen getan, und meine Hände bewegten sich wie von selbst. Als die Träger herabrutschten, hast du nach dem BH gegriffen, ihn unter dir hervorgezogen und weggeschleudert. Schweißgetränkt von der Arbeit des Tages, landete er dumpf wie eine Kniestütze auf dem Boden.

Die Chemikalien vom Nagelstudio stiegen von deiner Haut auf. Ich fischte einen Vierteldollar aus meiner Tasche, tauchte ihn in die Wick-VapoRub-Dose. Der frische Eukalyptusduft erfüllte die Luft, und allmählich entspanntest du dich. Ich tunkte die Münze mehrmals in die ölige Salbe, tupfte dann einen Fingerbreit über deinen Rücken, an deiner Wirbelsäule entlang. Als deine Haut glänzte, platzierte ich die Münze an deinem Nackenansatz und zog sie über deine Schulterblätter nach außen. Wieder und wieder schabte ich mit festen, gleichmäßigen Zügen, wie du es mir gezeigt hattest, bis sich rotbraune Streifen unter dem weißen Fleisch abzeichneten; die Striemen verfärbten sich zu einer tiefvioletten Maserung, die sich wie neue, dunkle Rippen über deinen Rücken zog und die schlechten Ausdünstungen von deiner Haut löste. Durch diese behutsamen Quetschungen heilst du.

Ich denke wieder an Barthes. *Der Schriftsteller ist jemand, der mit dem Körper seiner Mutter spielt*, schrieb er nach dem Tod seiner eigenen Mutter, *um ihn zu glorifizieren, zu verschönern*.

Wie sehr ich mir wünsche, dass das wahr ist.

Und doch, selbst hier, während ich dir schreibe, widersetzt sich die physische Wirklichkeit deines Körpers meinen Bemühungen, ihn zu beeinflussen. Selbst in diesen Sätzen lege ich meine Hände auf deinen Rücken und sehe, wie dunkel sie sich gegen den unabänderlich weißen Grund deiner Haut abheben. Selbst jetzt sehe ich die Falten an deiner Taille und Hüfte vor mir, während ich die Verspannungen knetete, und die kleinen Kochen entlang deiner Wirbelsäule, eine Reihe von Auslassungspunkten, die kein Schweigen übersetzen kann. Selbst nach all diesen Jahren überrascht mich der Kontrast zwischen unserer Haut – so wie ein leeres Blatt Papier, wenn meine Hand mit einem Stift in seinen Raum aufbricht, um darauf einzuwirken, ohne es zu verunstalten. Doch durch das Schreiben verunstalte ich es. Ich verändere, verschönere und bewahre dich im gleichen Atemzug.

Du stöhntest ins Kissen, als ich deine Schultern massierte, mich dann durch die hartnäckigen Knoten hinabarbeitete. »Gut so … Das ist so gut.« Nach einer Weile wurde dein Atem tiefer, gleichmäßiger, deine Arme erschlafften, und du warst eingeschlafen.

IN DEM SOMMER als ich vierzehn wurde, bekam ich meinen ersten Job auf einer Tabakfarm außerhalb von Hartford. Die meisten Menschen wissen nicht, dass Tabak so hoch im Norden wachsen kann – aber pflanz nur irgendetwas in die Nähe von Wasser, und es grünt zur Stärke einer kleinen Armee heran. Es ist schon eigenartig, wie sich manche Dinge entwickeln. Zuerst von den Agawam-Indianern angebaut, wurde Broadleaf-Tabak bald darauf aus Profitgier von weißen Siedlern gepflanzt, nachdem sie die Ureinwohner von ihrem Land vertrieben hatten. Und nun wird er hauptsächlich von illegalen Einwanderern geerntet.

Ich wusste, du würdest mir nicht erlauben, mit dem Rad die dreizehn Kilometer hinaus aufs Land zu fahren, also erzählte ich dir, dass ich in einem Gemeinschaftsgarten der Kirche am Stadtrand jobben würde. Laut dem Flyer vor dem hiesigen YMCA-Zentrum betrug der Stundenlohn neun Dollar, was fast zwei Dollar über dem damaligen Mindestlohn lag.

Und weil ich noch zu jung für eine legale Anstellung war, wurde ich unter der Hand bezahlt, in cash.

Es war der Sommer 2003. Bush hatte Irak schon den Krieg erklärt, wobei er sich auf Massenvernichtungswaffen berief, die nie auftauchten, als »Where Is the Love?« von den Black Eyed Peas auf allen Radiosendern, *vor allem* aber auf PWR 98.6 lief. Wenn man bei offenen Fenstern schlief, konnte man den Song aus fast jedem Auto im Block hören, die Beats untermalt von zersplitternden Bierflaschen auf dem Basketballfeld gegenüber, wo die Cracksüchtigen die leeren Flaschen in hohem Bogen in den Himmel warfen, nur um zu sehen, wie das Licht der Straßenlaternen zerbrochenen Dingen etwas Magisches verlieh, und der Bürgersteig am nächsten Morgen von Scherben wie mit Glitter übersät war. Es war der Sommer, in dem Tiger Woods zum fünften Mal in Folge zum Spieler des Jahres auf der PGA-Tour gewählt wurde und (nicht, dass ich mich dafür interessiert oder eine Ahnung davon gehabt hätte) die Yankees eine überraschende Schlappe gegen die Marlins einstecken mussten, zwei Jahre vor Facebook und vier vor dem ersten iPhone, Steve Jobs war noch am Leben, und deine Alpträume waren gerade schlimmer geworden. Es kam vor, dass ich dich schwitzend, mit bloßem Hintern, zu irgendeiner gottverlassenen Stunde am Küchentisch vorfand, wo du deine Trinkgelder zähltest, um »einen Geheimbunker« zu kaufen, nur für den Fall, sagtest du, dass in Hartford ein Terroranschlag verübt würde. Es war das Jahr, in dem die Pioneer-10-Raumsonde ihr letztes Signal an die NASA sendete, bevor der Kontakt in über 12 Milliarden Kilometer Entfernung von der Erde für immer abbrach.

Fünf Tage die Woche stand ich morgens um sechs auf und fuhr mit dem Rad die volle Stunde, die ich zur Farm brauchte, wobei ich den Connecticut River überquerte, vorbei an den Vororten mit ihren irrsinnig makellosen Rasenflächen und dann in die Pampa hinaus. Sobald ich mich der Plantage näherte, breiteten sich die Felder ringsum auf allen Seiten aus, Telefondrähte hingen unter dem Gewicht der Krähen durch, die verstreut auf den Leitungen hockten, hier und da ein weißer Mandelbaum in voller Blüte, und die Bewässerungsgräben, in denen gegen Ende des Sommers mehr als ein Dutzend Kaninchen ertranken, deren Kadaver die heiße Luft verpesteten. Saftgrüne Bahnen aus Tabak, manche reichten mir bis zur Schulter, erstreckten sich so weit, dass die Bäume am Rand der Plantage mehr wie Büsche aussahen. Und mittendrin standen eine neben der anderen drei riesige, ungestrichene Scheunen.

Ich fuhr den Feldweg zur ersten Scheune hinauf und schob mein Rad durch das geöffnete Tor. Als ich mich an die kühle Dunkelheit gewöhnt hatte, sah ich die Männer aufgereiht an der Wand sitzen, sie sprachen Spanisch untereinander, ihre dunklen Gesichter lebhaft über Papptellern mit zerlaufenden Eiern. Einer von ihnen winkte mich hinüber und sagte etwas, das ich nicht verstand. Als ich erwiderte, dass ich kein Spanisch spräche, schien er überrascht. Dann leuchtete sein Gesicht von der plötzlichen Erkenntnis auf. »Ah!« Er zeigte auf mich und nickte. »Chinito. Chinito!« Da es mein erster Tag war, beschloss ich, ihn nicht zu verbessern. Ich stimmte ihm zu. »Sí«, sagte ich lächelnd, »Chinito.«

Sein Name sei Manny, sagte er und deutete auf einen Tisch, wo neben einer Glaskanne mit lauwarmem Kaffee ein großes Backblech Spiegeleier auf einem Gaskocher stand. Ich ließ mich zwischen den Männern nieder und aß schweigend. Mich ausgenommen, waren es zweiundzwanzig Arbeiter, überwiegend illegale Migranten aus Mexiko und Zentralamerika bis auf einen, Nico, der aus der Dominikanischen Republik stammte. Und es gab Rick, einen weißen Mittzwanziger aus Colchester, der angeblich ein registrierter Sexualstraftäter war und außer Tabak keine feste Arbeit kriegen konnte. Die meisten waren Saisonarbeiter und folgten der Ernte verschiedener Feldfrüchte quer durchs Land. Auf dieser Farm bestand das Lager der Männer aus vier Wohnanhängern, die, etwas versteckt von der Straße, ein paar Meter hinter der Baumlinie am Rande der Plantage standen.

Die Dachsparren, in denen der geerntete Tabak zum Trocknen aufgehängt wurde, waren jetzt leer. Ende September würden in jeder Scheune raue Mengen Tabak lagern, insgesamt fast zwei Tonnen. Während ich kaute, musterte ich die Architektur. Zum schnelleren Trocknen war jede zweite Holzlatte an den Seitenwänden der Scheune nach außen gekippt, sodass rippenähnliche Schlitze entstanden, die einen Durchzug ermöglichten. Von dort strich jetzt der warme Atem der Tageshitze über meinen Nacken und brachte den süßlich bitteren Tabakduft und das Eisen roter Erde mit sich. Auch die Männer rochen nach den Feldern. Noch bevor ihre Stiefel die Erde berührten, verströmten ihre Körper selbst nach der morgendlichen Dusche das Salz und sonnengedörrte Aroma von der Arbeit des Vortags. Bald würde derselbe Geruch auch meine eigenen Poren durchdringen.

Ein waldgrüner Ford Bronco bog in die Auffahrt. Die Männer standen geschlossen auf und warfen ihre Teller und Becher in den Abfallkorb. Sie streiften ihre Handschuhe über, manche gossen Wasser auf Stofflappen, die sie sich unter ihre Schiebermützen stopften.

Mr Buford kam herein. Ein hochgewachsener, schlaksiger Weißer um die siebzig mit einem Red-Sox-Cap, das tief über eine Pilotenbrille und ein Edamer-Katzengrinsen herabgezogen war. Wie er so die Hände in die Hüften stützte, erinnerte er mich an den fanatischen Sergeant aus *Full Metal Jacket* – diesen einen, der sich wie ein Arschloch aufführt, bis ihm einer seiner eigenen Gefreiten den Kopf wegpustet. Doch Buford war so weit ganz fröhlich, ja charmant, wenn auch ein bisschen aufgesetzt. Als er grinste, sprühte sein einer Goldzahn Funken zwischen seinen Lippen. »Wie geht's meinen Vereinten Nationen heute Morgen? *Bueno*?«, fragte er.

Ich ging zu ihm und stellte mich vor. Die Hand, die er mir gab, war zu meiner Überraschung rau und rissig. Er klopfte mir auf die Schulter und sagte, ich würde schon klarkommen, solange ich nur auf Manny, meinen Vorarbeiter, hörte.

Die Männer und ich quetschten sich auf die Ladeflächen von drei Pick-ups, und wir fuhren zum ersten Feld hinaus, wo die Pflanzen am höchsten waren und im Begriff, die schweren Köpfe hängen zu lassen. Hinter uns fuhren zwei Traktoren, auf die die Ernte verladen würde. Als wir ankamen, kauerte bereits eine Gruppe von zehn Männern über den ersten fünf Tabakreihen. Das war die Schnittmannschaft. Ausgerüstet mit Macheten, die im ersten Licht des Tages geschliffen wurden, zogen sie hundert Meter vor uns los und hackten die Stiele in schnellen, ausholenden Bewegungen nieder. Manchmal, wenn wir rasch genug arbeiteten, holten wir sie ein, das Geräusch ihrer Klingen wurde lauter und lauter, bis man sie beim Schneiden keuchen hörte, während die Stiele hellgrün um ihre gebeugten Rücken herabspritzten. Man meinte das Wasser im Innern der Stängel zu hören, wenn der Stahl die Membranen aufbrach, und die Erde färbte sich dunkel, wo die Pflanzen ausbluteten.

Ich war in der Pflückmannschaft, der die kleineren Arbeiter

zugeteilt waren. Unsere Aufgabe bestand darin, die Pflanzen, deren Blätter in der Sonne bereits welk geworden waren, aufzulesen. Wir teilten uns in Teams zu je drei Arbeitern auf, zwei Pflücker und ein Stecher. Als Stecher musste man einfach nur beim Speerbock stehen (einem Karren, an dem man vorne einen Holzstab mit abnehmbarer Speerspitze anbrachte) und die Pflanzen daraufspießen. Dann entfernte man die Speerspitze, und einer der Pflücker trug die volle Stange zu einem im Leerlauf wartenden Traktor, wo ein Packer sie auf das Rack, eine Art Trägergestell, lud. Der Stecher nahm dann eine weitere Holzstange aus einer Ledertasche, steckte die stählerne Speerspitze darauf und fuhr mit dem Auffädeln fort.

War der Traktor voll beladen, wurde er zurück zu den Scheunen gefahren, wo Dutzende Männer, für gewöhnlich die größten, die Racks einander einzeln zum Trocknen in die Sparren hinaufreichten. Da man aus einer Höhe von bis zu zwölf Metern abstürzen konnte, war die Scheune der gefährlichste Arbeitsplatz. Es gab Geschichten von anderen Farmen, die die Männer erzählten, wie das Geräusch noch in ihren Ohren nachhallte, das dumpfe Aufschlagen eines Körpers – jemand, der vor sich hin summt oder über das Wetter spricht oder sich über eine Frau, den Benzinpreis in Modesto beklagt, dann die plötzliche Stille, das Rascheln der Blätter, wo die Stimme gewesen war.

An jenem ersten Tag war ich so dumm, das Paar Handschuhe auszuschlagen, das Manny mir anbot. Sie waren zu groß und reichten mir fast bis zu den Ellbogen. Um fünf waren meine Hände so schwarz und zugekleistert von Pflanzensaft, Erde, Kieseln und Splittern, dass sie aussahen wie der Boden in einem Topf mit angebranntem Reis. Die Krähen glitten über die krisselige Luft der Felder, während wir die Stunden kahl arbeiteten, und ihre Schatten stießen über der Erde herab, als fielen Dinge aus dem Himmel. Die Hasen tauchten hier und da durch die Reihen hindurch, und von Zeit zu Zeit sank eine Machete auf eines der Tiere hinab, und selbst im Klingengeklirr war das schrille Aufheulen eines Wesens zu hören, das diese Erde verließ, auf der wir standen.

Aber irgendwie vernähte die Arbeit einen Bruch in mir. Eine Arbeit, bei der alles Hand in Hand ging, jede Pflanze geschnitten, geerntet, aufgefädelt und von einem Behälter zum nächsten getragen wurde, und zwar in einem solchen zeitlichen Einklang, dass kein Tabakstängel, einmal der Erde entrissen, je wieder den Boden berührte. Es war eine Arbeit der unzähligen Verständigungsweisen, und ich lernte, mit den Männern nicht mithilfe meiner Zunge zu sprechen, die mir dort nichts nützte, sondern durch Lächeln, Handgesten, selbst durch Schweigen, Zögern. Ich beschrieb Menschen, Verben, abstrakte Begriffe, Ideen mit meinen Fingern, meinen Armen und indem ich sie auf die Erde zeichnete.

Manny nickte mit zerfurchter Stirn, sein Schnurrbart von getrocknetem Schweiß beinahe ergraut, als ich mit hohlen Händen eine Blüte formte, um deinen Namen darzustellen: Rose.

DAS HÄUFIGSTE ENGLISCHE Wort im Nagelstudio war *sorry* – tut mir leid. Es war der eine Refrain dafür, was es bedeutete, im Dienst der Schönheit zu stehen. Ich sah, wie sich Maniküren, einige nicht älter als sieben, über die Hand oder den Fuß einer Kundin beugten und sagten: *Sorry, sorry, tut mir leid. Es tut mir sehr, sehr leid*, obwohl sie nichts falsch gemacht hatten. Ich habe Arbeiterinnen gesehen, dich unter ihnen, die sich im

Laufe einer fünfundvierzigminütigen Maniküre Dutzende Male entschuldigten, in der Hoffnung auf warmen Zuspruch, der zum höchsten Ziel führte, einem Trinkgeld – nur um dann trotzdem *Tut mir leid* zu sagen, wenn es ausblieb.

Im Nagelstudio ist *sorry* ein Werkzeug, um sich einzuschmeicheln, bis das Wort selbst zur Währung wird. Es *entschuldigt* sich nicht länger nur, sondern beharrt vielmehr, mahnt: *Ich bin hier, genau hier, unter dir.* Es ist die eigene Herabsetzung, damit der Kunde sich im Recht, überlegen und großherzig fühlt. Im Nagelstudio wird die Definition von *sorry* zu einem ganz neuen Wort verdreht, einem, das zugleich mit Macht und Erniedrigung aufgeladen und wiederverwendet wird. *Sorry* – sich zu entschuldigen zahlt sich aus, sich zu entschuldigen ist, auch wenn oder gerade weil man nichts getan hat, jede entsagungsreiche Silbe wert, die der Mund erlaubt. Weil der Mund essen muss.

Und doch ist es nicht nur im Nagelstudio so, Ma. Auch auf jenen Tabakfeldern haben wir es gesagt. »*Lo siento*«, wiederholte Manny ununterbrochen, wenn er durch Mr Bufords Blickfeld lief. »*Lo siento*«, flüsterte Rigo, wenn er sich streckte, um eine Machete an die Wand zurückzuhängen, vor der Buford saß und Zahlen auf einem Klemmbrett abhakte. »*Lo siento*«, sagte ich zum Chef, nachdem ich einen Tag gefehlt hatte, weil Lan in einem schizophrenen Anfall alle ihre Kleider in den Ofen gestopft hatte, um, wie sie sagte, die »Beweisstücke« verschwinden zu lassen. »*Lo siento*«, sagten wir, als das Feld eines Tages bei Anbruch der Dunkelheit nur halb abgeerntet war und der Traktor mit ausgeschaltetem Motor in der besänftigten Dunkelheit stand. »*Lo siento, señor*«, sagte jeder Einzelne von uns, als wir an dem Pick-up vorbeigingen, in dem Buford saß, Hank Williams wummern ließ und auf seine verdorrte

Ernte hinausstarrte, am Armaturenbrett ein passbildgroßes Bild von Ronald Reagan. Wie wir am Tag darauf nicht mit »Guten Morgen«, sondern mit »*Lo siento*« an die Arbeit gingen. Der Satz mit seiner Melodie eines im Morast versinkenden, dann herausgezogenen Stiefelschritts. Dieser schmierige Dreck, von dem unsere Zungen nass wurden, als wir uns in unseren Broterwerb zurückentschuldigten. Wieder und wieder bereue ich meine Zunge, während ich dir schreibe.

Ich denke an diese Männer, die neben mir im unendlichen Tabak schwitzten, scherzten und sangen. Wie George noch einen Tausender, ungefähr zwei Monate Arbeit, davon entfernt war, seiner Mutter ein Haus außerhalb von Guadalajara zu kaufen. Wie Brandon seine sechzehnjährige Tochter, Lucinda, nach Mexiko-Stadt schicken würde, damit sie Zahnmedizin studieren konnte, wie sie es sich immer gewünscht hatte. Wie Manny nach einer weiteren Saison wieder in dem Küstendorf in El Salvador sein und über die Narbe am Schlüsselbein seiner Mutter streichen würde, wo gerade ein Tumor entfernt worden wäre – mithilfe des Lohns, den er erhielt, um Tabak aus der Erde Connecticuts zu entfernen. Wie er mit seinen restlichen Ersparnissen ein Boot kaufen und sein Glück in der Marlinfischerei versuchen würde. Für diese Männer war *Tut mir leid* eine Aufenthaltserlaubnis.

Bei Feierabend war mein weißes Unterhemd so schmutzig vor Erde und Schweiß, dass es aussah, als trüge ich überhaupt keines, während ich mein Rad aus der Scheune schob. Meine Finger klebrig und wund am Lenker, sauste ich auf meinem silbernen Huffy die staubige Straße hinab, vorbei an den weiten und nun leeren Entfernungen, wo zuvor die Saat gestanden hatte, die Sonne niedrig über der Baumgrenze. Und ich hörte sie hinter mir, ihre Stimmen so unterschiedlich wie Sender in

einem Radio. »*Hasta mañana, Chinito!*« »*Adiós muchacho!*«
Und ich wusste, welchen Männern die Stimmen gehörten.
Ohne hinzusehen, wusste ich, dass Manny winkte, so wie jeden Tag, seine Hand mit den dreieinhalb Fingern schwarz vor
dem letzten Licht.

Was ich zu ihnen sagen wollte, als ich losfuhr und auch am
nächsten Morgen – jeden Morgen –, ist dasselbe, was ich dir
jetzt sagen will: *Tut mir leid*. Es tut mir leid, dass es noch so lange dauert, bis sie ihre Liebsten wiedersehen, dass manche es
vielleicht nicht lebend durch die Wüste zurückschaffen, von
Dehydrierung und Unterkühlung dahingerafft oder ermordet
von Drogenkartellen oder den rechten Kadermilizen in Texas
und Arizona. *Lo siento*, wollte ich sagen. Aber ich konnte nicht.
Weil mein *Tut mir leid* sich damals schon in etwas anderes verwandelt hatte. Es war zu einem Teil meines eigenen Namens
geworden – nicht ohne Falschheit auszusprechen.

Weshalb ich, als eines Nachmittags der Junge zu mir kam,
der Junge, der alles verändern würde, was ich von Sommer
wusste, davon, wie tief sich eine Jahreszeit öffnet, wenn du
dich weigerst, den Tagen aus ihr hinauszufolgen – weshalb ich
da sagte: »Tut mir leid.« Der Junge, von dem ich lernte, dass es
etwas gab, das noch brutaler und vereinnahmender war als Arbeit: Verlangen. In jenem August, auf den Feldern, war er es,
der in mein Blickfeld geriet. Als sich der Tag dem Ende zuneig-
te, fühlte ich einen anderen Arbeiter neben mir, konnte jedoch,
gepackt vom Rhythmus der Ernte, nicht stehen bleiben, um
ihn anzusehen. Wir pflückten für etwa zehn Minuten, in denen ich seine Gegenwart aus den Augenwinkeln immer inten-
siver spürte, bis er vor mich hintrat, als ich mich gerade streckte, um einen welken Stängel aufzuheben. Ich sah zu ihm auf –
einen Kopf größer, das feingliedrige Gesicht erdverschmiert

unter einem leicht zurückgeschobenen Stahlhelm, als wäre er gerade aus einer von Lans Geschichten heraus- und mit einem unergründlichen Lächeln in meinen Tag hineinspaziert.

»Trevor«, sagte er und richtete sich auf. »Ich bin Trevor.« Ich erfuhr erst später, dass er Bufords Enkel war und auf der Farm arbeitete, um von seinem wodkagetränkten Alten wegzukommen. Und weil ich dein Sohn bin, sagte ich: »Tut mir leid.« Weil ich dein Sohn bin, war meine Entschuldigung inzwischen zu einer Verlängerung meines Ichs geworden. Es war mein *Hallo*.

AN JENEM ERSTEN Tag, nachdem ich ihn auf dem Feld kennengelernt hatte, fand ich Trevor im Innern der Scheune wieder, die das dämmerige Licht mit einem bläulichen Schimmer übertüncht hatte. Draußen klirrten die Äxte der Arbeiter gegen ihre Gürtelriemen, als sie auf dem Weg zu ihren Airstream-Anhängern am Waldrand die Anhöhe hinaufstiegen. Die Luft war kühl, mit einem Hauch Chlorophyll von dem frisch geschnittenen Tabak, der nun von den Balken über uns herabhing, hier und da noch tropfend, sodass sich winzige Staubwirbel auf dem Scheunenboden bildeten.

Ich weiß nicht, warum ich bei meinem Rad herumtrödelte, mir beim Kontrollieren der Speichen Zeit ließ. Trevor saß auf einer Bank an der Wand und kippte ein neongelbes Gatorade herunter.

Er hatte so etwas an sich, wenn er in Gedanken versunken war; die Stirn verfinstert über zusammengekniffenen Augen, was seinem jungenhaften Gesicht den harten, verletzten Ausdruck eines Menschen verlieh, der zusehen muss, wie sein Lieblingshund zu früh eingeschläfert wird. Etwas an dem Nebeneinander seiner schlammbeschmierten, staubigen Konturen und diesen gerundeten, hübschen Lippen, die zu einem rosigen, femininen Schmollmund versiegelt waren. Wer bist du, dachte ich, während ich die Bremsen betätigte.

Was ich in dem Moment spürte, war jedoch kein Verlangen, sondern die schwelende Spannung seiner Möglichkeit, ein Gefühl, das scheinbar seine eigene Schwerkraft ausstrahlte und mich an Ort und Stelle fesselte. Etwas an der Art, wie er mich vorhin auf dem Feld angesehen hatte, als wir kurz Seite an Seite gearbeitet hatten und unsere Arme sich streiften, während die Pflanzen sich so heftig schüttelten, dass sie vor meinen Augen zu einem grünen Schwirren verschwammen; sein Blick verweilte, huschte dann fort, wenn ich ihn auf mir ertappte. Ich wurde gesehen – ich, der ich selten von jemandem gesehen worden war. Ich, dem du beigebracht hattest, zu meiner eigenen Sicherheit unsichtbar zu bleiben, der in der Grundschule zur fünfzehnminütigen »Auszeit« in die Ecke geschickt wurde, nur um zwei Stunden später entdeckt zu werden, als alle schon lange gegangen waren, und Mrs Harding, die an ihrem Tisch Mittagspause machte, von ihrem Makkaronisalat aufsah und nach Luft schnappte. »Ach Gott, ich habe ganz vergessen, dass du noch da bist! Was machst du denn hier noch?«

Trevor und ich unterhielten uns über die Felder, während das Licht aus der Scheune wich, wie viel Arbeit noch vor uns lag, wie die Ernte für Zigarren bestimmt war, die nach Afrika und Ostasien exportiert wurden, wo Rauchen noch weit verbreitet war und alles, was aus Amerika kam, einen Zauber der Verheißung in sich trug. Doch in echt, sagte Trevor, war die Ernte minderwertig, der Abbrand schmeckte bitter in der Kehle, sauer.

»Diese Ernte ist nich' mal legal«, sagte er. Seine Stimme hallte die Sparren hinauf. Ich spähte über meine Schulter, fing seinen Blick auf. »Überall Wurmlöcher drin. Noch zwei gute Jahre, vielleicht drei, und dann« – er fuhr sich mit der Hand über den Adamsapfel – »haben wir's im Kasten.« Er verstummte. Ich konnte seine Augen auf mir spüren, als ich zu meinem Rad zurückging. Und ich wollte es, dass sein Blick mich an diese Welt heftete, der ich mich bloß halb zugehörig fühlte.

Als ich mein Kinn auf den Lenker legte, konnte ich das Gatorade in der Flasche schwappen hören und dann, wie die Flasche auf die Bank gestellt wurde. Nach einer Weile sagte er echt ruhig: »Ich hasse meinen Scheißvater.«

Bis zu diesem Zeitpunkt hatte ich nicht gedacht, dass ein weißer Junge irgendetwas an seinem Leben hassen könnte. Ich wollte ihn in- und auswendig kennen, durch ebendiesen Hass. Weil es das ist, was du jemandem gibst, der dich sieht, dachte ich. Du nimmst seinen Hass frontal, und du überquerst ihn wie eine Brücke, um diesem Menschen gegenüberzutreten, hineinzugelangen in ihn.

»Ich hasse meinen Vater auch«, sagte ich zu meinen Händen, nun still und geschwärzt vom Kettenöl.

Als ich mich umdrehte, lächelte Trevor zur Decke hinauf. Er sah mich, sprang von der Bank und kam herüber, wobei sein Lächeln etwas anderem wich, als er den Helm über seine Augen zog. Das schwarze Adidas-Logo auf seinem weißen T-Shirt schob sich ineinander, als er sich näherte. In diesem Sommer kam ich in die neunte Klasse, Trevor schon in die elfte. Wenn auch in der Sonne kaum sichtbar, erschien sein dünner Oberlippenbart hier in der Scheune, aus der Nähe, kräftiger, eine schweißdunkle blonde Spur. Und darüber seine Augen: In die graue Iris waren Sprenkel von Braun und Glut verstreut, als stünde, direkt hinter einem selbst, unter einem bewölkten Himmel etwas in Flammen. Es war, als betrachtete der Junge unentwegt ein in der Luft explodierendes Flugzeug. Das war es, was ich an jenem ersten Tag sah. Und obwohl ich wusste, dass hinter mir nichts brannte, drehte ich mich trotzdem um und sah, wie die flimmernde Sommerluft kochend vor Hitze über den kahl geernteten Feldern aufstieg.

DER JUNGE IST sechs und trägt nichts als eine weiße, mit un-zähligen Supermännern gemusterte Unterhose. Du kennst diese Geschichte. Er hat sich gerade ausgeheult und geht nun zu der Phase über, wo sein Kiefer sich bibbernd entkrampft. Seine rotzverschmierte Nase, das Salz davon auf seinen Lip-pen, seiner Zunge, er ist zu Hause. Seine Mutter, das weißt du, hat ihn in den Keller gesperrt, weil er wieder ins Bett gemacht hat, die vier oder fünf Supermänner in seinem Schritt jetzt dunkel befleckt. Sie hat ihn am Arm aus dem Bett und dann die Treppe hinabgeschleift, während er schrie, flehte: »Ich mach's nie wieder, Ma. Nie wieder.« Die Art von Keller, in die niemand hinuntergeht, ringsum der muffige Geruch feuchter Erde, rostige, von Spinnweben verstopfte Rohre, seine eigene Pisse immer noch nass am Bein entlang, zwischen seinen Ze-hen. Er steht mit einem Fuß auf dem andern, als wäre er, je we-niger er vom Keller berührt, auch weniger darin. Er schließt die Augen. Das ist meine Superkraft, denkt er: eine Dunkel-heit noch dunkler zu machen, als was um mich herum ist. Er hört auf zu weinen.

DER SOMMER WAR fast vorbei, als wir auf dem Dach des Werk-zeugschuppens am Feldrand saßen, doch die Hitze dauerte an, und unsere Hemden klebten wie abgestorbene Häute an uns. Durch meine Shorts spürte ich noch die Wärme des Zinndachs, das den ganzen Tag in der Sonne gelegen hatte. Irgendwo wei-ter westlich musste die Sonne, die jetzt langsam schwand, hö-her stehen, dachte ich, zum Beispiel in Ohio, noch golden für einen Jungen, den ich nie kennenlernen werde.

Ich dachte an diesen Jungen, wie weit weg er von mir war und trotzdem amerikanisch.

Der Wind strich kühl und fest durch meine Hosenbeine hinauf.

Wir unterhielten uns, wie wir es damals nach der Arbeit so machten, wenn wir zu erschöpft waren, um sofort nach Hause zu fahren. Wir unterhielten uns über seine Waffen, über die Schule, wie er vielleicht abbrechen würde. Wie die Colt-Fabrik in Windsor jetzt, da der letzte Amoklauf drei Monate her und bereits Schnee von gestern war, womöglich wieder Leute einstellte, unterhielten uns über das neueste Xbox-Spiel, seinen Alten, das Trinken von seinem Alten, wir unterhielten uns über Sonnenblumen, wie bescheuert sie aussahen, wie Zeichentrickfiguren, sagte Trevor, aber in echt. Wir unterhielten uns über dich, über deine Alpträume, wie du dabei warst, durchzudrehen, sein Gesicht beunruhigt beim Zuhören, was seinen Schmollmund noch betonte.

Eine lange Pause. Dann holte Trevor sein Handy heraus, knipste die Farben an den Rändern des Himmels und steckte es wieder ein, ohne nachzusehen, ob es etwas geworden war. Unsere Blicke trafen sich. Er warf mir ein peinlich berührtes Lächeln zu, dann sah er weg und fing an, einen Pickel an seinem Kinn zu befingern.

»Kleopatra«, sagte er nach einem Augenblick.

»Was?«

»Kleopatra hat den gleichen Sonnenuntergang gesehen. Ist doch krass. Also, dass irgendwie alle, die jemals gelebt haben, nur eine Sonne gesehen haben.« Er machte eine Geste, die die ganze Stadt einschloss, auch wenn wir dort die einzigen Menschen waren, so weit das Auge reichte. »Kein Wunder, dass die Menschen früher geglaubt haben, dass das Gott ist.«

»Sagt wer?«

»Die Leute.« Er kaute einen Moment auf seiner Lippe. »Manchmal will ich einfach nur für immer da langgehen.« Er deutete mit seinem Kinn über die Platanen hinaus. »Einfach so *psschh*.« Während er sprach, betrachtete ich seinen Arm, der hinter ihm aufgestützt war, das Spiel der dünnen, fließenden Muskeln, die vom Feld gestrafft und burgergepäppelt waren.

Ich schleuderte das letzte Stück Schale von der Grapefruit, die ich geschält hatte, vom Dach. Wie steht's mit unseren Skeletten, wollte ich fragen, wie kommen wir von denen weg – überlegte es mir dann anders. »Aber Sonne sein muss scheiße sein«, sagte ich und reichte ihm eine pinke Hälfte.

Er steckte sich das ganze Stück auf einmal in den Mund. »Wiefo?«

»Kau zu Ende, du Tier.«

Im Scherz ließ er die Augen zurückrollen und seinen Kopf wie ein Besessener auf und ab hüpfen. Der klare Saft tropfte ihm vom Kinn, seinen Hals hinab, und die Kuhle unter seinem Adamsapfel, kaum größer als ein Daumenabdruck, glitzerte. Er schluckte, wischte sich den Mund mit dem Arm ab. »Wieso?«, wiederholte er, ernst diesmal.

»Weil du dich nie selber sehen kannst, wenn du die Sonne bist. Du weißt nicht mal, wo du im Himmel stehst.« Ich legte ein Stück Grapefruit auf meine Zunge und ließ die Säure an der Stelle brennen, wo ich die ganze Woche über grundlos auf meinem Wangeninneren gekaut hatte.

Er sah mich nachdenklich an, ließ sich die Sache mit der Sonne durch den Kopf gehen, seine Lippen feucht vom Saft.

»Also, du weißt irgendwie nicht mal, ob du rund oder eckig bist, oder überhaupt, ob du hässlich bist oder nicht«, fuhr ich fort. Ich wollte, dass es wichtig klang, bedeutsam – hatte aber keine Ahnung, ob ich daran glaubte. »Du siehst irgendwie nur, welche *Wirkung* du auf die Erde hast, die Farben und so, aber nicht, wer du bist.« Ich blickte zu ihm.

Er rupfte an einem Loch in seinen grasfleckigen weißen Vans. Sein Nagel kratzte an dem Leder im Sneaker und weitete das Loch.

Bis dahin hatte ich das Zirpen der Grillen nicht wahrgenommen. Der Tag verlöschte langsam um uns.

Trevor sagte: »Ich glaub, Sonne sein ist scheiße, weil man brennt.« Ich hörte etwas, von dem ich dachte, es sei eine weitere Grille, ganz in der Nähe. Das Pochen, ein dumpfes Prasseln. Aber Trevor hatte, noch im Sitzen, die Beine gespreizt, seinen Penis, weich und rosa, aus dem Hosenbein seiner Shorts hängen lassen und pinkelte jetzt. Der Strahl prasselte auf das schräge Metalldach, bevor er von der Seite floss und auf die Erde darunter tropfte. »Und ich lösch das Feuer aus«, sagte er mit vor Konzentration gekräuselten Lippen.

Ich wandte mich ab, sah ihn jedoch weiter vor mir – nicht Trevor, sondern diesen Jungen in Ohio, der bald von der Stunde berührt würde, die ich gerade durchlebt hatte, unversehrt. Gemeinsam und ohne dass es etwas zu sagen gab, spuckten wir die Grapefruitkerne, die wir in unseren Wangen gesammelt hatten, einen nach dem andern aus. Sie platschten dick und fett auf das Zinndach und verblassten bläulich, als die Sonne ganz hinter den Bäumen versank.

EINES TAGES KAM die Mutter des Jungen nach Überstunden in der Uhrenfabrik nach Hause. Die Wohnung war von Hunderten Spielzeugsoldaten übersät, ihre gewundenen Plastikleben wie Schutt über die Küchenfliesen verteilt. Der Junge wusste, dass er aufzuräumen hatte, bevor sie heimkehrte. Aber an dem

Tag war er in die Geschichte vertieft, die er aus ihren Körpern schuf. Die Männer waren gerade mitten bei der Befreiungsaktion einer dreizehn Zentimeter großen Micky Maus, die in einem Gefängnis aus schwarzen Videokassetten steckte.

Als sich die Tür öffnete, schreckte der Junge hoch, aber es war zu spät. Bevor er das Gesicht seiner Mutter ausmachen konnte, knallte ihre Rückhand seitlich gegen seinen Kopf, und dann noch eine und noch eine. Ein ganzer Regen davon. Ein Sturm von Mutter. Die Großmutter des Jungen stürzte auf das Geschrei hin herein und kniete sich wie instinktiv auf alle viere über den Jungen, formte mit ihrem Körper ein kleines und schwaches Haus. Darin igelte sich der Junge in seinen Kleidern ein und wartete, bis seine Mutter sich beruhigte. Durch die zitternden Arme seiner Großmutter sah er, dass die Videokassetten umgekippt waren. Micky Maus war frei.

EIN PAAR TAGE nach dem Schuppendach, der Grapefruit saß ich auf dem Beifahrersitz in Trevors Pick-up. Er fischte die Black & Mild aus der Brusttasche seines T-Shirts, legte sie behutsam über seine Knie. Dann nahm er das Teppichmesser aus seiner anderen Tasche und schlitzte die Zigarre der Länge nach auf, leerte ihren Inhalt aus dem Fenster.»Mach das Handschuhfach auf«, sagte er.»Ja. Nein, unter der Versicherung. Ja, genau da.«

Ich schnappte die zwei Plastiktütchen, eins halb voll mit Gras, das andere mit Koks, und gab sie ihm. Er öffnete die Tüte, stopfte das bereits zerbröckelten Gras in die ausgeweidete Zigarre. Er warf die Tüte aus dem Fenster, öffnete dann die zweite, stippte die weißen Körner über die Reihe aus Gras. »Wie schneebedeckte Berge!«, sagte er grinsend. In der Aufregung ließ er die zweite Tüte zwischen seine Beine auf den Boden fallen. Er leckte die Schnittstellen der Black & Mild, versiegelte den Schlitz, bis sie zu einem festen Joint zusammenklebte, blies dann auf den Saum, wedelte den Joint zum Trocknen vor sich her. Er bestaunte ihn in seinen Fingern, steckte ihn sich dann zwischen die Lippen und zündete ihn an. Wir saßen da, rauchten abwechselnd, bis mein Kopf sich leicht und knochenlos anfühlte.

Es kam mir vor, als wären Stunden verstrichen, da waren wir auf einmal in der Scheune, landeten irgendwie auf dem staubigen Boden. Es war spät – oder auf jeden Fall so dunkel, dass sich das Innere der Scheune anfühlte wie der Rumpf eines auf Grund gelaufenen Schiffes.

»Werd nicht komisch«, sagte Trevor und setzte sich auf. Er klaubte den Helm vom Boden und setzte ihn wieder auf; den Helm aus dem Zweiten Weltkrieg, den er am Tag unserer ersten Begegnung getragen hatte. Ich sehe diesen Helm ständig vor mir – aber das kann nicht stimmen. Dieser Junge, so unfassbar amerikanisch und lebendig nach dem Ebenbild eines toten Soldaten. Es ist zu eindeutig, ein so klares Symbol, dass ich es wohl erfunden haben muss. Und selbst jetzt kann ich unter allen Fotos, die ich durchgesehen habe, keines finden, auf dem er den Helm trägt. Und doch ist er hier, rutscht nach vorn über Trevors Augen, lässt ihn anonym und anziehend wirken. Ich studierte ihn wie ein neues Wort. Seine rötlichen Lippen schauen unter dem Helm hervor. Der Adamsapfel, merkwürdig klein, eine Delle in einer Linie von der Hand eines müden Künstlers. In der Dämmerung konnten meine Augen alles von ihm schlucken, ohne ihn auch nur einmal deutlich zu sehen. So als äße man im Dunkeln – es nährt auch dann, wenn man nicht weiß, wo der Körper endet.

»Werd nicht komisch.«

»Ich hab dich nicht angesehen«, sagte ich und wandte meinen Blick ab. »Hab nur nachgedacht.«

»Guck mal. Das Radio geht wieder.« Er spielte am Knopf des Taschenradios in seinem Schoß, und das Rauschen wurde stärker, dann ergoss sich eine kräftige und eindringliche Stimme in den Raum zwischen uns: *Viertes Down und Goal, es bleiben 27 Sekunden, und die Patriots reihen sich auf für den Snap …*

»Cool! Wir haben's rausgerissen.« Er schlug sich mit der Faust in die offene Hand, biss seine Zähne zusammen: ein gräuliches Aufschimmern unter dem Helm.

Er sah auf, stellte sich das Spiel vor, das Feld, seine blaugrauen Patriots. Meine Augen weiteten sich, ich nahm ihn tiefer in mir auf, die blasse Kurve seines Kinns, seinen Hals, die dünnen, jugendlichen Stränge, die daran aufstiegen. Sein Hemd war ausgezogen, weil es Sommer war. Weil es egal war. Auf seinem Schlüsselbein waren noch zwei Fingerbreit Erde vom Nachmittag, als wir auf der Wiese hinter Bufords Haus den Apfelbaumschössling gepflanzt hatten.

»Sind wir nah?«, fragte ich, ohne zu wissen, was ich meinte.

Die Stimmen tosten verzerrt durch das Knacken.

»Ja. Ich glaub, wir schaffen's.« Er legte sich neben mich zurück, die Erde knirschte unter seinem Gewicht. »Okay, viertes Down heißt im Prinzip, dass das unsere letzte Chance ist – kannst du mir folgen?«

»Mmh-mh.«

»Warum starrst du dann die Decke an?«

»Ich hör dich.« Ich stützte den Kopf in die Hand und sah ihn an – sein Oberkörper ein blasses Feuer im Halbdunkel. »Ich hör dir zu, Trev. Viertes Down.«

»Nenn mich nicht so. Es heißt Trevor. Voll und ganz, verstanden?«

»Tut mir leid.«

»Schon okay. *Viertes Down* heißt alles oder nichts.«

Wir lagen auf dem Rücken, unsere Schultern berührten sich fast, und zwischen unserer Haut bildete sich dieser dünne Film aus Hitze, während die Luft von den Stimmen der Männer anschwoll, dem zerstörerischen Beifall der Menge.

»Wir schaffen das. Wir schaffen das«, sagte seine Stimme. Seine Lippen bewegten sich, wie ich sie mir im Gebet vorstellte. Es war, als könnte er durch das Dach zum sternenlosen Himmel hinaufsehen – der Mond in dieser Nacht ein abgenagter Knochen über dem Feld. Ich weiß nicht, ob er oder ich mich bewegte. Aber der Raum zwischen uns wurde dünner und dünner, als das Spiel weiterdröhnte, und unsere Oberarme wurden feucht, berührten sich so leicht, dass keiner von uns es bemerkte. Und vielleicht war es damals in der Scheune, dass ich zum ersten Mal sah, was ich immer sehen würde, wenn Fleisch gegen Dunkelheit gedrückt wird. Wie sich die schärferen Konturen seines Körpers – Schultern, Ellbogen, Kinn und Nase – durch die Schwärze bohrten, ein Körper, der halb unter oder halb über einer Flussoberfläche ist.

Durch ihren Touchdown-Sieg stiegen die Patriots auf. Die Grillen entzündeten sich in dem niedrig wogenden Gras rund um die Scheune. Als ich mich zu ihm umdrehte, fühlte ich ihre gezackten Beine durch den Boden unter uns, und ich sagte seinen Namen voll und ganz; ich sagte ihn so leise, dass die Silben nie meinen Mund überlebten. Ich rückte näher, auf die nasse salzige Hitze seiner Wange zu. Er machte ein Geräusch, das beinahe wie Lust klang – oder vielleicht bildete ich mir das nur ein. Ich machte weiter, leckte seine Brust, seine Rippen, das Aufflammen von Haar auf seinem blassen Bauch. Und dann das schwere *Klank,* als der Helm im Jubel der Menge zurückrutschte.

IM BADEZIMMER MIT den Wänden in Erbsensuppengrün rollt die Großmutter ein frisch gekochtes Ei über das Gesicht des Jungen, über die Stelle, wo seine Mutter vor wenigen Minuten einen leeren Keramikkessel hingeschleudert hatte, der auf der Wange des Jungen zerplatzt war.

Das Ei ist so warm wie mein Inneres, denkt er. Es ist ein altes Hausmittel. »Das Ei, es heilt auch ganz schlimme blaue Flecken«, sagt seine Großmutter. Sie bearbeitet die violette Beule, die wie eine Pflaume im Gesicht des Jungen glänzt. Während das Ei kreist, sein glatter Druck auf dem Bluterguss, beobachtet der Junge unter einem geschwollenen Lid, wie sich die Lippen seiner Grandma in konzentrierte Falten legen. Jahre später, wenn von der Großmutter nichts als ein Gesicht in seiner Erinnerung geblieben ist, wird der Junge sich als junger Mann an diesen Falz zwischen ihren Lippen erinnern, als er in einer Winternacht in New York ein hartgekochtes Ei auf seinem Schreibtisch aufschlägt. Weil er knapp bei Kasse für die Miete ist, wird es den Rest der Woche Eier zum Abendessen geben. Sie werden nicht warm sein, sondern kalt in seiner Hand, am Morgen hatte er sie im Dutzend gekocht.

An seinem Tisch wird er zerstreut das feuchte Ei über seine Wange rollen. Ohne zu sprechen, wird er *Danke* sagen. Er wird es immer wieder sagen, bis das Ei warm von ihm wird.

»Danke, Grandma«, sagt der Junge blinzelnd.

»Dir geht's jetzt gut, Little Dog.« Sie hebt die perlförmige Kugel und legt sie an seine Lippen. »Iss«, sagt sie. »Schluck.

Deine blauen Flecken sind jetzt in dir. Schluck runter, und es wird nicht mehr wehtun.« Und er isst. Er isst noch immer.

DA WAREN FARBEN, Ma. Ja, da waren Farben, die ich fühlte, wenn ich bei ihm war. Keine Worte – sondern Schattierungen, Halbschatten.

Einmal parkten wir den Pick-up am Rand eines Feldwegs und setzten uns mit dem Rücken an die Fahrertür, eine Wiese vor unseren Augen. Bald trieben und blühten unsere Schatten auf dem roten Außenlack wie violette Graffiti. Zwei Double Cheese Whopper wärmten mit knisterndem Fettpapier auf der Motorhaube. Hast du dich jemals ausgemalt gefühlt, wenn ein Junge dich mit seinem Mund fand? Was ist, wenn der Körper in seiner vollkommensten Form nur eine Sehnsucht nach Körper ist? Das Blut, das zum Herzen rast, nur um wieder ausgesandt zu werden, die Routen füllt, die einst leeren Kanäle, die Meilen, die nötig sind, um uns zusammenzuführen. Warum fühlte ich mich mehr wie ich selbst, wenn ich mich nach ihm ausstreckte, meine Hand in der Luft schwebend, als wenn ich ihn dann berührte?

Seine Zunge, die mein Ohr entlangfuhr: das Grün, das einen Grashalm durchzog.

Die Burger fingen an zu qualmen. Wir ließen sie.

NACH DIESEM ERSTEN Sommer arbeitete ich noch zwei weitere auf der Farm – aber meine Zeit mit Trevor zog sich durch alle Jahreszeiten dazwischen. Und jener Tag, es war der 16. Oktober, ein Donnerstag. Leicht bewölkt, die Blätter trocken, aber immer noch an ihren Zweigen.

Zum Abendessen hatten wir Eier, in Tomatenwürfel und Fischsauce sautiert, dazu Reis. Ich trug ein graurotes Holzfällerhemd von L. L. Bean. Du warst in der Küche, summtest beim Abwaschen vor dich hin. Der Fernseher lief, eine alte Folge von *Rugrats*, und Lan klatschte zu der Zeichentricksendung. Eine der Glühbirnen im Bad summte, sie hatte zu viel Watt für die Steckdose. Du wolltest im Drugstore neue besorgen, hattest dann aber entschieden, auf den Lohn vom Nagelstudio zu warten, damit wir noch eine Packung Ensure für Lan kaufen konnten. Du warst okay an jenem Tag. Du lächeltest sogar zweimal durch den Zigarettenrauch. Ich erinnere mich. Ich erinnere mich an alles – denn wie kann man schon irgendetwas von dem Tag vergessen, an dem man sich selbst zum ersten Mal schön fand?

Ich stellte die Dusche ab, doch statt mich wie gewohnt abzutrocknen und anzuziehen, bevor der beschlagene Spiegel wieder klar wurde, ließ ich mir Zeit. Es war Zufall, dass mir meine Schönheit enthüllt wurde. Ich träumte vor mich hin, dachte an den Tag zuvor, an Trevor und mich hinter dem Chevy, und stand in der Wanne, das Wasser längst abgestellt. Als ich herausstieg, zog der Junge vor dem Spiegel mich in seinen Bann.

Wer war das? Ich berührte das Gesicht, seine blassgelben Wangen. Ich betastete meinen Nacken, den Muskelzopf, der zu den scharf vorstehenden Schlüsselbeinen abfiel. Die ausgeschabten Rippen eingesunken, während die Haut die unregelmäßigen Lücken dürftig ausfüllte, das traurige kleine Herz darunter winzige Wellen schlagend wie ein gefangener Fisch. Die Augen, die nicht zusammenpassen wollten, eins zu weit geöffnet, das andere wie benommen, halb geschlossen, argwöhnisch bei jedem Licht, das ihm gegeben wurde. Es war alles, wovor ich mich versteckte, alles, was in mir den Wunsch weckte, eine Sonne zu sein – das Einzige, was ich kannte, das keinen Schatten hatte. Und doch rührte ich mich nicht. Ich ließ den Spiegel diese Makel fassen – weil ich sie beim Trocknen ausnahmsweise nicht als Fehler wahrnahm, sondern als etwas Gewolltes, etwas, das gesucht und gefunden wurde inmitten einer Landschaft, die so unermesslich war wie jene, durch die ich diese ganze Zeit über geirrt war. Weil es mit der Schönheit doch so ist, dass sie nur außerhalb von sich selbst schön ist. Wenn ich mich im Spiegel betrachtete, sah ich meinen Körper als den eines anderen, eines Jungen mit regloser Miene ein paar Meter weiter, der die Haut beschwor zu bleiben, wo sie war, als ob die Sonne im Untergehen nicht schon woanders, nicht schon in Ohio wäre.

Ich hatte, was ich wollte – einen Jungen, der auf mich zuschwamm. Nur dass ich keine Küste war, Ma. Ich war Treibholz und versuchte mich zu erinnern, wovon ich abgerissen war, um hier zu landen.

DAMALS IN DER Scheune, in jener ersten Nacht, als wir uns berührten, das Patriots-Spiel im Radio auf Halbzeit, habe ich ihn gehört. Die Luft war dick oder dünn oder gar nicht da. Vielleicht waren wir sogar für eine Weile weggedöst. Die Radiowerbung lief knackend und summend durch den Lautsprecher, aber ich hörte ihn. Wir starrten einfach zu den Sparren hoch, und dann sagte er beiläufig, als benenne er ein Land auf einer Karte: »Warum wurde ich geboren?« Seine Züge beunruhigt in dem langsam schwindenden Licht.

Ich tat, als hörte ich nichts.

Aber er sagte es wieder. »Warum wurde ich überhaupt geboren, Little Dog?« Das Radio zischte unter seiner Stimme.

Und ich sprach zur Luft. Ich sagte: »Ich hasse Kentucky Fried Chicken«, als bewusste Reaktion auf den Werbespot.

»Ich auch«, sagte er, ohne zu zögern.

Und wir lachten uns kaputt. Wir lachten uns tot. Wir platzten, so, vor Lachen.

TREVOR UND SEIN Papa wohnten allein in einem ostergelben Trailer hinter der Autobahn. An jenem Nachmittag war sein alter Herr nicht da, weil er draußen in Chesterfield Ziegelsteinwege für einen Gewerbehof anlegte. Die weißen Türrahmen im Trailer waren mit rosafarbenen Fingerabdrücken verschmiert: ein von Arbeit gefärbtes Haus, was ein von Erschöpfung, Baufälligkeit gefärbtes Haus bedeutete. Der Teppich herausgerissen, »damit keiner sauber machen muss«, aber das Hartholz niemals gewachst und poliert, und durch die Socken konnte man die hineingehämmerten Nägel spüren. Die Schranktüren waren ausgehebelt, »um's leichter zu machen«. Unter der Spüle war ein Betonschalstein mit den Rohren drin. Im Wohnzimmer, über der Couch hing ein mit Klebeband fixiertes Poster von Neil Young, Gitarre in der Hand und das Gesicht zu einem Song verzerrt, den ich nie gehört hatte.

In seinem Zimmer schaltete Trevor ein Sony-Autoradio an, das mit zwei Lautsprechern auf einer Kommode verbunden war, und ließ seinen Kopf auf und ab wippen, während ein Hiphop-Beat durch den Verstärker anschwoll. Hier und da waren die Beats mit Aufnahmen von Schüssen, schreienden Männern, einem ausscherenden Auto unterlegt.

»Hast du das schon gehört? Ist dieser neue Typ, 50 Cent.« Trevor lächelte. »Geil, oder?« Ein Vogel flog am Fenster vorbei, und das Zimmer schien zu zwinkern.

»Nie von ihm gehört«, log ich – warum, weiß ich nicht genau. Vielleicht wollte ich ihm die Macht dieses unbedeutenden Wissens über mich geben. Aber ich hatte es schon gehört, viele Male, wie es in dem Jahr in unzähligen vorbeifahrenden Autos und durch offene Wohnungsfenster daheim in Hartford lief. Das ganze Album, *Get Rich or Die Tryin'*, war illegal auf Hunderte CD-Rohlinge gebrannt, die man sich in billigen Vierzigerpacks bei Walmart oder Target holte – sodass der ganze Norden von einer Art Hymne aus Curtis Jacksons Stimme widerhallte, deren Klang ein- und ausblendete, während man durch die Straßen radelte.

»*I walk the block with the bundles*«, deklamierte Trevor, und seine Hände fuhren mit gespreizten Fingern vor ihm durch die Luft. »*I've been knocked on the humble, swing the ox when I rumble, show your ass what my gun do.*«

Er lief stirnrunzelnd im Zimmer auf und ab, rappte mit Entschlossenheit, Inbrunst, sodass Spucke durch die Luft sprühte und kühl auf meiner Wange landete. »Komm schon, Mann. Ich liebe den Teil jetzt.« Er sprach die Worte lautlos mit, starrte mich an, als wäre ich die Kamera in dem Musikvideo. Ich machte seine Lippen nach, bis wir den Refrain zusammen sangen, meine Schultern wippten zum Rhythmus hin und her. »*Many men, many, many, many, many men. Wish death 'pon me. Lord I don't cry no more, don't look to the sky no more. Have mercy on me.*«

In diesem Zimmer, zwischen dem *Star-Wars*-Poster (*Das Imperium schlägt zurück*), das über dem ungemachten Bett von der Wand blätterte, den leeren Rootbeer-Dosen, der Neun-Kilo-Hantel, der Hälfte eines zerbrochenen Skateboards, dem von Kleingeld, leeren Kaugummipackungen, Tankstellenquittungen, Weedkrümeln, Fentanylpflastern und leeren Ziptütchen übersäten Schreibtisch, Kaffeebechern, die von abgestandenem Wasser und Jointstummeln braunberingt waren, einem Exemplar von Steinbecks *Von Mäusen und Menschen*, leeren Patronenhülsen von einer Smith & Wesson, gab es keine Fragen. Unter der Decke erhitzten wir uns aneinander, und der Rest der Welt ließ uns kalt. An dem Tag hatte er sich den Kopf über der Spüle rasiert, und die Haare pieksten uns überall, wohin wir uns bewegten, unsere Finger ungelenk um Gürtelschnallen. Ein Pflaster hing, gelockert durch Schweiß und Hitze, von seinem Ellbogen, und der Plastikfilm streifte meine Rippen, als er forschend auf mich stieg. Unter meinen Fingern glänzten die Dehnungsstreifen über seinen Knien, an seinen Schultern und unten an seiner Wirbelsäule wie silbern und neu. Er war ein Junge, der aus sich heraus- und zugleich in sich einbrach. Das war es, was ich wollte – nicht nur den Körper, so anziehend er war, sondern seinen Willen, in dieselbe Welt hineinzuwachsen, die seinen Hunger zurückwies. Dann wollte ich mehr – seinen Duft, sein Aroma, den Geschmack nach Pommes frites und Erdnussbutter unterhalb des Balsams seiner Zunge, das Salz in seinem Nacken von der zweistündigen Fahrt nach Nirgendwo und zu einem Burger King am Bezirksrand, einem Tag angespannter Wortwechsel mit seinem Alten, den Rost von dem elektrischen Rasierer, den er mit diesem Mann teilte, wie der Rasierer immer in seinem traurigen Plastikgehäuse auf der Spüle lag, Tabak, Gras und Kokain, vermischt mit Motoröl, an seinen Fingern. All das setzte sich als Nachduft von Holzrauch ab, der sich in seinem Haar verfing, es durchtränkte, als käme er, wenn er mit nassem und hungrigem Mund zu mir kam, von einem Ort, der in Flammen stand und an den er niemals zurückkehren konnte.

Und was macht man mit einem solchen Jungen außer sich

selbst zu einem Eingang, einem Ort, durch den er immer wieder hindurchgehen kann und dabei jedes Mal denselben Raum betritt? Ja, ich wollte es ganz. Ich drückte mein Gesicht in ihn wie in ein Klima, das Tagebuch einer Jahreszeit. Bis ich betäubt war. »Mach die Augen zu«, sagte er zitternd. »Will nicht, dass du mich so siehst.« Aber ich öffnete sie trotzdem, weil ich wusste, dass im dämmrigen Licht alles gleich aussah. So als schliefe man noch. Doch in unserer Hast schlugen unsere Zähne aneinander. Er stieß einen Schmerzlaut aus, wandte sich dann ab, plötzlich verlegen. Bevor ich fragen konnte, ob alles okay sei, machte er weiter, seine Augen halb offen, als wir uns, jetzt glatt und reibungslos, tiefer umschlangen. Dann weiter runter, zu dem elastischen Widerstand des Hosenbunds, das Schnalzen, das nie kam, der raschelnde Stoff an meinen Knöcheln, mein Schwanz, der Tropfen Feuchtigkeit an seiner Spitze noch am kältesten zwischen uns.

Sein Gesicht tauchte aus den Laken auf und glänzte durch die nasse Maske, die wir aus unserem Forschen fertigten. Er war weiß, das vergaß ich nie. Er war immer weiß. Und ich wusste, zum Teil lag es daran, dass es einen Ort für uns gab: eine Farm, ein Feld, eine Scheune, ein Haus, eine Stunde, zwei. Ein Ort, den ich in der Stadt nie fand, wo unsere Mietwohnungen so beengt waren, dass man hören konnte, wenn ein Nachbar mitten in der Nacht Magen-Darm-Grippe hatte. Sich hier, in einem Zimmer in einem baufälligen Trailer zu verstecken, war irgendwie ein Privileg, eine Chance. Er war weiß. Ich war gelb. Was wir waren, hellte uns in der Dunkelheit auf, und was wir taten, legte uns fest.

ABER WIE ERZÄHLE ich dir von diesem Jungen, ohne dir von den Drogen zu erzählen, die bald alles in Fetzen rissen, dem Oxy und Koks, wie sie die Welt an ihren Rändern schwelen ließen? Und dann dem rostroten Chevy? Dem Chevy, den Buford seinem Sohn, Trevs altem Herrn, geschenkt hatte, als der vierundzwanzig war, den der Alte in Ehren hielt und über die Jahre so viele Teile repariert und ausgetauscht hatte, dass man damit vier Pick-ups hätte umfrisieren können. Wie die Fenster bereits blaue Streifen hatten und die Reifen so glatt wie menschliche Haut waren, als wir mit neunzig durch den Mais bretterten und Trevor wie ein Wahnsinniger schrie, ein Fentanylpflaster heiß auf seinem Arm, die Flüssigkeit durch die Ränder geschmolzen und seinen Bizeps hinabtröpfelnd wie der Saft einer kranken Pflanze. Mit Kokain in unseren Nasen, unseren Lungen lachten wir, wenn man das so sagen kann. Und dann der Schlenker, ein Zersplittern von Gelb, der Knall, umherschwirrendes Glas, und die verbeulte Motorhaube rauchte unter der toten Eiche. Eine rote Linie, die Trevors Wange hinabrinnt, sich an seinem Kiefer weitet. Dann sein Papa, der vom Haus brüllte, und die Wut in seinem Schrei ließ uns von den Sitzen hochschrecken.

Während der Motor qualmte, tasteten wir unsere Rippen nach gebrochenen Knochen ab, stürzten dann aus dem von Benzingestank durchtränkten Pick-up und quer durch das letzte Stück Maisfeld hinter Trevors Haus, vorbei an dem reifenlosen John-Deere-Traktor, der auf Betonschalsteine aufgebockt dastand, dem leeren Hühnerstall mit den festgerosteten Riegeln, über den kleinen weißen Plastikzaun, unsichtbar unter wuchernden Brombeersträuchern, hinüber, dann durch Fingerhirse und unter die Highway-Überführung zu den Kiefern. Trockene Blätter krachten an uns vorbei. Trevors alter

Herr, der auf den geschrotteten Pick-up zurannte, das einzige Auto, das sie besaßen; und keiner von uns hatte den Mumm, zurückzublicken.

Wie erzähle ich dir von Trevor, ohne dir noch einmal von diesen Kiefern zu erzählen? Wie es eine Stunde nach dem Chevy war, dass wir dort lagen und die Kälte vom Waldboden hochsickerte. Wie wir »This Little Light of Mine« sangen, bis das Blut um unsere Lippen erstarrte und uns verstummen ließ.

ALS WIR DAS erste Mal fickten, fickten wir nicht mal. Ich traue mich nur deshalb, dir zu erzählen, was jetzt kommt, weil die Chancen, dass dieser Brief dich findet, gering sind – nur der Umstand, dass es dir nicht möglich ist, all das zu lesen, macht es mir möglich, es zu erzählen.

In Trevors Trailer hing ein Bild von einer Schale Pfirsiche im Flur, das immer meine Blicke auf sich zog. Der Flur war zu eng, und man konnte es nur aus Zentimeternähe anschauen – mehr Nachklang als Kunst. Ich musste mich ein wenig seitlich hinstellen, um es ganz zu sehen. Jedes Mal wenn ich vorbeiging, verlangsamte ich meine Schritte und betrachtete es. Ein billiges Gemälde von Family Dollar, ein Massenprodukt mit vagen impressionistischen Andeutungen. Als ich die Pinselstriche musterte, sah ich, dass sie überhaupt nicht gemalt, sondern als gesprenkeltes Relief aufgedruckt waren, was eine menschliche Hand glauben machte, ohne dass diese tatsächlich im Spiel gewesen wäre. Die »Reliefstriche« deckten sich nie mit ihren Schatten, sodass in einem Strich zwei oder gar drei Farben auf einmal waren. Eine Fälschung. Eine Täuschung. Weshalb ich es so mochte. Das Material ließ keinen Augenblick lang den Eindruck von Echtheit entstehen, sondern vielmehr eine unauffällige Entsprechung, den Wunsch, nur unter dem flüchtigsten Blick als Kunst durchzugehen. Es hing versteckt an der Wand in dem düsteren Flur, der zu Trevors Zimmer führte. Ich habe nie gefragt, wer es dort aufgehängt hat. Pfirsiche. Rosa Pfirsiche.

Unter den feuchten Laken drängte er seinen Schwanz zwischen meine Beine. Ich spuckte in meine Hand und griff nach hinten, packte seine warme Länge fest, imitierte den echten Vorgang, während er stieß. Ich spähte über meine Schulter und bemerkte die schelmische Faszination in seinen Augen. Es war ein Scheinversuch, ein Penis in einer Faust anstatt in einem Körperinneren, und doch war es einen Augenblick lang *echt*. Es war echt, weil wir nicht hinsehen mussten – so als machten wir es und machten es doch nicht, außerhalb des Körpers und doch zugleich innerhalb der Empfindung, wie bei einer Erinnerung.

Wir machten es wie in den Pornos, die wir gesehen hatten. Ich schlang meinen freien Arm um seinen Hals, mein Mund suchte und nahm jeden Teil von Trevor, der am nächsten war, und er tat das Gleiche, drückte seine Nase in meinen Nacken. Seine Zunge, seine Zungen. Und seine heißen, straff gespannten Arme, sie brachten mich zurück zu jenem Morgen, nachdem das Nachbarhaus in der Franklin Avenue abgebrannt war. Ich hatte ein Stück von einem Fensterrahmen aus der Ruine aufgehoben, es war noch warm, und meine Finger gruben sich in das weiche, vom Hydranten feuchte Holz, so wie ich jetzt in Trevors Bizeps grub. Als ob zischender Dampf von ihm aufstieg, aber es war nur der Oktober, der draußen peitschte, der Wind, der das Laub durchblätterte wie ein Wörterbuch.

Wir sprachen nicht.

Er fickte meine Hand, bis er nass erschauerte, wie der Schalldämpfer eines Pick-ups, der im Regen aufröhrt. Bis meine Handfläche glitschig wurde und er »Nein, o nein« sagte, als wäre es Blut, nicht Samen, was da rausfloss. Eine Weile lagen wir so da, fertig mit uns, während unsere Gesichter abkühlten.

Wann immer ich jetzt ein Museum besuche, scheue ich mich, den Gemälden zu nahe zu kommen, aus Angst davor, was ich dort vielleicht finde. Wie bei dem rosafarbenen Schmierfleck von Trevors Ramschladen-Pfirsichen starre ich stattdessen, meine Hände hinter dem Rücken, von weit weg, manchmal sogar von der Schwelle des Raumes aus, wo alles noch möglich ist, weil nichts enthüllt wird.

Danach, als Trevor mit abgewandtem Gesicht neben mir lag, weinte er formvollendet im Dunkeln. So wie Jungen es tun. Das erste Mal, als wir fickten, fickten wir nicht mal.

DER JUNGE STEHT in einer winzigen gelben Küche in Hartford. Weil er noch klein ist, lacht der Junge, glaubt, dass sie tanzen. Er erinnert sich – denn wer kann schon die erste Erinnerung an seine Eltern vergessen? Erst als das Blut aus der Nase seiner Mutter spritzte und ihr weißes Hemd rot wurde wie Elmo aus der *Sesamstraße*, fing er an zu schreien. Da stürzte seine Großmutter herein, packte den Jungen und rannte an ihrer sich rot färbenden Tochter unter dem brüllenden Mann vorbei, hinaus auf den Balkon, dann die Hintertreppe hinab. »Er bringt mein Mädchen um! Um Himmels willen! Er bringt sie um«, hörte man sie auf Vietnamesisch schreien. Menschen rannten von überall her, von ihren Veranden die Straße hinunter, zu dem dreistöckigen Wohnhaus; Tony, der Mechaniker von gegenüber mit dem kaputten Arm, Juniors Vater, Miguel, und Roger, der über dem Convenience-Store wohnte. Sie alle stürzten herbei und zerrten den Vater von der Mutter.

Der Krankenwagen kam, und der Junge beobachtete von der Hüfte seiner Großmutter aus, wie sich die Polizeibeamten seinem Vater mit gezogener Waffe näherten, wie dieser mit einem blutigen Zwanzigdollarschein wedelte, so wie er es damals in Saigon getan hatte, wo die Bullen das Geld nehmen und der Mutter empfehlen würden, sich zu beruhigen und einen Spaziergang zu machen, bevor sie abzögen, als sei nichts geschehen. Der Junge sah zu, als die amerikanischen Polizisten sich auf seinen Vater stürzten, und im Handgemenge glitt der Geldschein heraus und landete auf dem schwefelgelb beleuchteten Bürgersteig. Weil er ganz auf das braungrüne Geldblatt auf dem Pflaster fixiert war, als hoffte er halb, es würde hinauffliegen, zurück auf einen winterlichen Baum, sah der Junge nicht, wie sein Vater in Handschellen auf die Füße gezerrt und sein Kopf in einen Streifenwagen gedrückt wurde. Er sah nur das zerknüllte Geld, bis ein Nachbarsmädchen mit Rattenschwänzchen es unbemerkt einsteckte. Der Junge blickte auf und bekam gerade noch mit, wie seine Mutter von Sanitätern hinausgetragen wurde, ihr verwüstetes Gesicht schwebte auf der Trage an ihm vorbei.

IN SEINEM HINTERHOF, einer Brache neben einer Autobahnüberführung, sah ich zu, wie Trevor mit seiner .32-Winchester auf die Farbdosen zielte, die aufgereiht auf einer alten Parkbank standen. Damals wusste ich noch nicht, was ich jetzt weiß: Ein amerikanischer Junge zu sein, noch dazu ein amerikanischer Junge mit einem Gewehr, bedeutet nichts anderes, als zwischen den Enden eines Käfigs auf und ab zu wandern.

Mit zusammengepressten Lippen zog er am Schirm seiner Red-Sox-Cap. Ein Verandalicht spiegelte sich im Waffenlauf, ein kleiner weißer Stern, der in der fernen Dunkelheit aufstieg und fiel, während er anlegte. Das machten wir an Abenden wie diesen, einem Samstag, an dem meilenweit kein Laut zu hören war. Ich saß auf einer Milchkiste, schlürfte Dr Pepper und beobachtete, wie er eine Patrone nach der andern in das Metall leerte. Da, wo der Gewehrkolben beim Rückstoß gegen seine Schulter prallte, war sein grünes Whalers-T-Shirt zerknittert, und die Falten knautschten bei jedem Schuss.

Die Dosen sprangen eine nach der andern von der Bank. Beim Zusehen erinnerte ich mich an eine Geschichte, die uns Mr Buford damals auf der Farm erzählt hatte. Vor Jahren fand Buford auf der Jagd in Montana in seiner Falle einen Elch. Einen Bullen. Buford sprach langsam, rieb sich über die weißen Stoppeln, als er schilderte, wie die Falle das Hinterbein des Elchs – ein Geräusch, als bräche ein feuchter Ast entzwei, waren seine Worte – bis auf ein paar dünne rosa Bänder abgetrennt hatte. Das Tier stöhnte, auf einmal war sein blutender und zerrissener Körper zu einem Gefängnis geworden. Es tobte, und mit seiner dicken baumelnden Zunge quoll eine Stimme hervor. »Fast wie von einem Menschen«, sagte Buford, »wie von dir und mir.« Er sah zu seinem Enkel hinüber, dann auf den Boden, wo Ameisen über seinen Teller Bohnen wuselten.

Er erzählte, wie er sein Gewehr absetzte, die doppelläufige Flinte von seinem Rücken nahm und festen Stand suchte. Doch der Bulle bemerkte ihn und griff an, wobei er sein Bein glatt abriss. Er rannte direkt auf ihn zu, bevor Buford anlegen konnte, schwenkte dann zu einer Lichtung um und brach durch die Bäume, humpelnd auf dem, was von ihm übrig war.

Wie du und ich, sagte ich zu niemandem.

»Ich hatte Glück«, sagte Buford. »Drei Beine hin oder her, die Viecher können dich umbringen.«

Hinter seinem Haus saßen Trevor und ich im Gras und zogen abwechselnd an einem Joint mit Sprenkeln von zerstoßenem Oxy. Die Lehne sauber weggepustet – nur die Beine blieben übrig von der Bank. Vier Beine ohne einen Körper.

EINE WOCHE NACH dem ersten Mal machten wir es wieder. Wir fingen mit seinem Schwanz in meiner Hand an. Ich krallte mich fester in die Bettdecke. Und wegen dieser Trägheit seiner Haut, die feucht-fest an meine eigene drückte, fühlte sich die Sache nicht bloß nach Vögeln an, sondern nach Durchhalten. Das Innere seiner Wange, wo das Fleisch am weichsten war, schmeckte nach Zimtkaugummi und nassen Steinen. Ich senkte meine Hand und befühlte den Eichelschlitz. Als ich um die warme Rundung rieb, erschauerte er. Aus dem Nichts packte er meine Haare und riss meinen Kopf ruckartig zurück. Ich heulte erstickt auf, und er hielt inne, seine Hand schwebte zögernd neben meinem Gesicht.

»Mach weiter«, sagte ich und lehnte mich zurück, gab mich ganz hin. »Fester.«

Ich kann mir nicht erklären, was ich fühlte. Die Wucht und die Tortur eines Schmerzes, der bis zur Grenze des Erträglichen zunimmt, eine Empfindung, von der ich nie gedacht hätte, sie gehöre zu Sex. Etwas übernahm die Kontrolle, und ich sagte ihm: Fester. Und das tat er. Er hob mich an meinen Haarwurzeln fast vom Bett. Mit jedem Stoß ging ein Licht in mir an und aus. Ich flackerte wie eine Glühbirne in einem Sturm, suchte mich selbst in seinem Kurs. Er ließ mein Haar los, nur um seinen Arm unter mein Kinn zu legen. Meine Lippen

streiften seinen Unterarm, und ich konnte das Salz dort schmecken. Anerkennung zuckte in ihm. So würden wir es von nun
an machen.

Wie nennt man das Tier, das auf den Jäger trifft und von
sich aus anerbietet, gefressen zu werden? Einen Märtyrer? Einen Schwächling? Nein: ein Tier mit dem seltenen Vermögen,
stehen zu bleiben. Ja, der Schlusspunkt in einem Satz – das ist
es, was uns menschlich macht, Ma, ich schwöre es. Er lässt uns
anhalten, damit wir weitermachen können.

Weil Unterwerfung, wie mir bald klar wurde, auch eine
Form von Macht war. Um ins Innere der Lust vorzudringen,
brauchte Trevor mich. Ich hatte eine Wahl, eine Fertigkeit; ob
er sich überlegen oder unterlegen fühlt, hängt von meiner Be-
reitschaft ab, nachzugeben, weil man nur dann überlegen ist,
wenn es etwas gibt, über das man sich erheben kann. Unterwerfung braucht keine Erhöhung, um zu kontrollieren. Ich er-
niedrige mich. Ich nehme ihn bis zum Schaft in den Mund und
blicke zu ihm hoch, meine Augen ein Ort, an dem er vielleicht
gedeihen kann. Nach einer Weile ist es der Schwanzlutscher,
der sich bewegt. Und er folgt – wenn ich in diese Richtung
schwenke, schwenkt er mit. Und ich sehe zu ihm hoch, als betrachte ich einen Drachen im Himmel, und sein ganzer Körper
ist an die wippende Welt meines Kopfes gebunden.

Er liebt mich, er liebt mich nicht, sollen wir sagen, während
wir die Blume aus ihrem Blumesein reißen. Zur Liebe gelan-
gen heißt so, durch Auslöschung hinzugelangen. Vernichte
mich, wollen wir sagen, und ich werde dir die Wahrheit erzählen. Ich werde ja sagen. »Weiter«, bettelte ich. »Mach mich fertig, mach mich fertig.« Da war Gewalt bereits alltäglich für
mich, war, was ich letzten Endes von Liebe wusste. Mach.
mich. fertig. Es fühlte sich gut an zu benennen, was ich bereits

mein ganzes Leben erfahren hatte. Endlich wurde ich aus freien Stücken fertiggemacht. In Trevors Griff hatte ich ein Mitspracherecht darin, wie man mich auseinandernahm. Also sagte ich es: »Fester. Fester«, bis ich ihn nach Luft schnappen hörte, als käme er aus einem Alptraum hoch, von dem wir hätten schwören können, er sei Wirklichkeit.

WENN ER GEKOMMEN war und versuchte, mich im Arm zu halten, seine Lippen auf meine Schulter presste, stieß ich ihn weg, stieg in meine Boxershorts und ging mir den Mund ausspülen.

Das Angebot von Zärtlichkeit fühlt sich manchmal schon wie der bloße Beweis dafür an, dass man zerstört wurde.

UND DANN BAT Trevor mich eines Nachmittags wie aus dem Nichts, die Rollen zu tauschen, so wie wir es bisher gemacht hatten – was wir jetzt *Fake-Ficken* nannten. Er lag auf der Seite. Ich spuckte in meine Hand und schmiegte mich an ihn. Eigentlich reichte ich ihm nur bis zum Hals, doch im Liegen, wenn ich ihn löffelte, waren unsere Köpfe auf gleicher Höhe. Ich küsste seine Schultern, ging zu seinem Nacken über, wo sein Haar wie bei manchen Jungen in einem kleinen, zentimetergroßen Wirbel im Nacken endete. Es war der Teil, der glänzte wie Weizenspitzen im Sonnenlicht, während der restliche Kopf mit seinem volleren Haar dunkelbraun blieb. Ich ließ meine Zunge darunterschnellen. Wie konnte ein so fest vernähter Junge etwas so Zartes besitzen, das ganz aus Rändern, aus Enden bestand? Zwischen meinen Lippen waren diese Strähnen eine Knospe, die aus ihm herausspross, im Bereich des Möglichen lag. Dieser Teil ist der gute Teil von Trevor, dachte ich. Nicht der Eichhörnchenschütze. Nicht der Trevor, der mit einer Axt kurz und klein schlug, was von der zusammengeschossenen Parkbank übrig war. Der mich auf dem Rückweg vom Eckkiosk in einem plötzlichen Wutausbruch, an dessen Auslöser ich mich nicht mehr erinnern kann, in eine Schneewehe schubste. Dieser Teil, dieser Schnipser von Haar, war der Trevor, der seinen Pick-up mitten im Verkehr bremste, um mit offenem Mund eine ein Meter achtzig große Sonnenblume am Straßenrand anzustarren. Der mir erzählte, dass er Sonnenblumen am liebsten mochte, weil sie höher als Menschen wuchsen. Der seine Finger so sanft an ihnen entlangstreichen ließ, man hätte meinen können, rotes Blut pulsierte in den Stielen.

Aber es war vorbei, bevor es überhaupt angefangen hatte. Bevor meine Schwanzspitze seine eingeölte Handfläche streifte, verkrampfte er sich; sein Rücken eine Mauer. Er stieß mich zurück, setzte sich auf. »Scheiße.« Er starrte geradeaus.

»Ich kann nicht. Ich kann einfach – ich meine ...« Er sprach zur Wand. »Ich weiß nicht. Ich will mich nicht wie ein Mädchen fühlen. Wie eine Schlampe. Ich kann nicht, Mann. Tut mir leid, aber das ist nichts für mich.« Er hielt inne, wischte sich die Nase: »Aber es ist was für dich. Oder?«

Ich zog mir die Decke zum Kinn hoch.

Ich hatte gedacht, Sex bedeute, dass man trotz panischer Angst neues Gebiet betrat, dass die Regeln der Welt, solange sie uns nicht sah, außer Kraft gesetzt waren. Doch ich irrte mich.

Die Regeln – sie waren bereits in uns.

Bald lief die Super Nintendo. Trevors Schultern ruckten, während er auf dem Controller herumhämmerte. »Hey. He, Little Dog«, sagte er nach einer Weile. Dann, leise, immer noch auf das Spiel fixiert: »Es tut mir leid. Okay?«

Auf dem Bildschirm hüpfte ein winziger roter Mario von Plattform zu Plattform. Wenn Mario herunterfiel, würde er das Level neu beginnen müssen, ganz von vorn. Das nannte man auch Sterben.

EINES NACHTS LIEF der Junge von zu Hause weg. Er lief ohne Plan. In seinem Rucksack waren eine Tüte Cheerios-Frühstücksflocken ohne Karton, ein Paar Socken und zwei *Gänsehaut*-Taschenbücher. Obwohl er noch keine richtigen Textbücher lesen konnte, wusste er, wie weit eine Geschichte ihn führen konnte, und der Besitz dieser Bücher bedeutete, dass es mindestens noch zwei Welten gab, die er irgendwann betreten konnte. Aber weil er zehn war, schaffte er es bloß bis zum Spielplatz hinter seiner Grundschule in zwanzig Minuten Entfernung. Nachdem er für eine Weile im Dunkeln auf der Schaukel gesessen hatte, nur das Quietschen der Kette war zu hören, kletterte er auf einen der Ahornbäume, die dort standen. Die belaubten Äste schlugen ringsum aneinander, während er kletterte. Auf halbem Weg hinauf machte er halt und lauschte auf die Umgebung; ein Popsong aus einem Wohnungsfenster auf der anderen Seite des Geländes, Verkehr von der nahen Autobahn, eine Frau, die einen Hund oder ein Kind hereinrief.

Dann hörte der Junge Schritte auf trockenem Laub. Er zog seine Knie fest an sich und umarmte den Stamm. Er hielt still und sah vorsichtig durch die vom Smog der Stadt staubig und grau gewordenen Äste hinab. Es war seine Großmutter. Reglos sah sie auf, ein Auge geöffnet, forschend. Es war zu dunkel, um ihn zu sehen. Sie schien so klein, eine Puppe, die an den falschen Platz gestellt worden war, wie sie dort schwankte und blinzelte.

»Little Dog«, rief sie flüsternd. »Bist du da oben, Little Dog?« Sie verrenkte ihren Hals, blickte dann weg, zu der Autobahn in der Ferne. »Deine Mama. Sie nicht normal, ja? Sie Schmerz. Sie wehtun. Aber sie dich will, sie uns braucht.« Sie verlagerte ihr Gewicht. Die Blätter raschelten. »Sie dich liebt, Little Dog. Aber sie krank. Krank wie ich. In Kopf.« Sie betrachtete ihre Hand, wie um sich zu überzeugen, dass sie noch existierte, ließ sie dann fallen.

Als der Junge dies hörte, drückte er seine Lippen gegen die kalte Rinde, um nicht zu heulen.

Sie Schmerz, dachte der Junge, der sich ihre Worte durch den Kopf gehen ließ. Wie kann man denn ein Gefühl *sein*? Der Junge sagte nichts.

»Du keine Angst haben, Little Dog. Du schlauer als ich.« Etwas knitterte. Im Arm hielt sie eine Tüte Cool Ranch Doritos wie ein Baby. In ihrer anderen Hand war eine Poland-Spring-Wasserflasche mit warmem Jasmintee. Sie murmelte weiter vor sich hin: »Du keine Angst haben. Keine Angst.«

Dann verstummte sie und richtete ihre Augen auf ihn.

Sie sahen sich zwischen den schaudernden Blättern an. Sie blinzelte einmal. Die Äste klapperten und klapperten, wurden dann still.

ERINNERST DU DICH an den glücklichsten Tag deines Lebens? Oder den traurigsten? Hast du dich jemals gefragt, ob sich Traurigkeit und Glück verbinden lassen, sodass ein tiefviolettes Gefühl entsteht – weder gut noch schlecht, aber verblüffend einfach, weil du nicht auf der einen oder anderen Seite leben musst?

Die Main Street war leer an dem Abend, als Trevor und ich

mit unseren Rädern den Mittelstreifen der Straße abfuhren. Unsere Reifen schluckten die fetten, gelben Markierungen, während wir dahinrasten. Es war sieben Uhr abends, das hieß, von Thanksgiving waren nur noch fünf Stunden übrig. Unser Atem dampfte über uns. Bei jedem Luftholen setzten die beißenden Holzfeuer eine helle Note in meine Lunge. Trevors Alter saß daheim im Trailer vor dem Footballspiel und aß Fertiggerichte zu Bourbon und Cola light.

Beim Fahren waberte mein Spiegelbild über das Schaufensterglas. Die Ampeln blinkten gelb, und außer den klappernden Speichen unter uns war kein Laut zu hören. So radelten wir auf und ab, und einen törichten Augenblick lang fühlte es sich an, als wäre dieser Betonstreifen namens Main Street alles, was wir je besessen hatten, alles, was uns trug. Nebel kam herab, und die Straßenlichter brachen sich darin wie riesige Van-Gogh-Kugeln. Vor mir erhob sich Trevor aus seinem Sattel und schrie, die Arme auf beiden Seiten ausgestreckt: »Ich fliege! He, ich fliege!« Seine Stimme kippte, als er die Szene aus *Titanic* nachäffte, wo das Mädchen am Schiffsbug steht. »Ich fliege, Jack!«, brüllte er.

Nach einer Weile hörte Trevor auf, in die Pedale zu treten, und ließ sein Rad freihändig zu einem schlitternden Halt kommen.

»Ich bin am Verhungern.«

»Ich auch«, sagte ich.

»Da vorn ist eine Tanke.« Er wies auf eine Shell-Tankstelle vor uns. Inmitten dieser gewaltigen Nacht wirkte es, als sei ein Raumschiff neben der Straße abgestürzt.

Drinnen verfolgten wir, wie sich zwei gefrorene Käse-Ei-Sandwiches in der Mikrowelle drehten. Die alte weiße Frau an der Kasse fragte uns, wohin wir unterwegs seien.

»Nach Hause«, sagte Trevor, »meine Mom steht im Stau, darum holen wir uns nur schnell was zwischendurch, bevor sie zum Abendessen heimkommt.«

Die Augen der Frau huschten zu mir herüber, als sie ihm das Wechselgeld gab. Trevors Mom war vor knapp fünf Jahren mit ihrem Freund nach Oklahoma gezogen.

Auf der offenen Veranda einer Zahnarztpraxis, gegenüber von einem dichtgemachten Friendly's, wickelten wir unsere Sandwiches aus. Warmes Zellophan kräuselte sich um unsere Hände. Wir kauten, starrten in die Restaurantfenster drüben, wo ein Plakat mit einem Eisbecher für einen grässlichen grünen »Riesen-Kobold Minz Split« vom letzten März warb. Ich hielt mein Sandwich fest und ließ meine Sicht im Dampf verschwimmen.

»Glaubst du, wir hängen noch zusammen rum, wenn wir hundert sind?«, sagte ich leichthin.

Er schleuderte die Verpackung weg, die vom Wind erfasst und auf einen Busch neben ihm zurückgeweht wurde. Sofort bereute ich meine Frage. Er schluckte hinunter und sagte: »Menschen werden nicht hundert.« Er riss ein Tütchen Ketchup auf, quetschte eine dünne rote Linie auf mein Sandwich.

»Stimmt«, nickte ich.

Dann hörte ich das Lachen. Es kam von einem Haus an der Straße hinter uns.

Die hellen Stimmen von Kindern, zwei, vielleicht drei, dann eine männliche – ein Vater? Sie spielten im Garten. Kein Spiel, um genau zu sein, sondern der Ausdruck einer vagen Begeisterung, wie sie nur sehr kleine Kinder kennen, die schon entzückt sind, wenn sie nur über ein leeres Feld rennen, das sie noch nicht als winzigen Garten in einem beschissenen Stadtteil erkennen. Aus ihren schrillen Schreien zu schließen, waren sie nicht älter als sechs, ein Alter, in dem man offensichtlich nur durch Bewegung in Verzückung gerät. Als wären sie kleine Glocken, die durch bloße Luft zum Klingen gebracht würden.

»Das reicht. Das reicht für heute«, sagte der Erwachsene, worauf die Stimmen sofort verklangen. Dann das Zuschlagen einer Fliegengittertür. Die Stille flutete zurück. Trevor neben mir, mit dem Kopf in den Händen.

Wir radelten nach Hause, die Straßenlichter hier und dort über uns. Jener Tag war violett – weder gut noch schlecht, sondern einfach etwas, das wir durchlebten. Ich trat fester in die Pedale, bewegte mich für einen Moment wie losgelöst. Trevor neben mir sang den 50-Cent-Song. Seine Stimme klang seltsam jung, als kehrte sie aus einer Zeit zurück, bevor ich ihn kannte. Als könnte ich mich umdrehen und einen kleinen Jungen finden, dessen Jeansjacke seine Mom frisch gewaschen hat, und der Waschmittelduft streicht hoch, durch das noch blonde Haar über dem Babyspeck seiner Wangen, während die Stützräder auf dem Pflaster rasseln.

Ich stimmte ein.

»*Many men, many, many, many, many men.*«

Wir sangen, brüllten die Zeilen beinahe heraus, der Wind stutzte unsere Stimmen. Es heißt, ein Lied kann eine Brücke sein, Ma. Aber ich sage, es ist auch der Grund, auf dem wir stehen. Vielleicht singen wir, um uns vor dem Fall zu bewahren. Und vielleicht singen wir, um uns selbst zu bewahren.

»*Wish death 'pon me. Lord I don't cry no more, don't look to the sky no more. Have mercy on me.*«

In den blauen Wohnzimmern, an denen wir vorbeikamen, lag das Footballspiel in den letzten Zügen.

»*Blood in my eye dawg and I can't see.*«

In den blauen Wohnzimmern gewannen manche Menschen, und andere Menschen verloren.

So verging der Herbst.

IN EINEM EINWEGLEBEN gibt es keine zweite Chance. Das ist eine Lüge, aber wir leben sie. Wir leben trotzdem. Das ist eine Lüge, aber der Junge öffnet seine Augen. Das Zimmer ein schemenhaftes Graublau. Es dringt Musik durch die Wände. Chopin, das Einzige, was sie hört. Der Junge klettert aus dem Bett, und die Zimmerecken kippen entlang einer Achse wie ein Schiff. Aber er weiß, auch das ist ein Trick, den er sich selbst vormacht. Im Flur, wo die umgeschüttete Lampe ein schwarzes Durcheinander aus zerbrochenen Vinyl-Singles zeigt, sucht er nach ihr. In ihrem Zimmer ist das Bett abgezogen, das rosa Spitzendeckbett auf den Boden getürmt. Das Nachtlicht, nicht richtig in der Steckdose, flimmert und flimmert. Das Klavier lässt seine kleinen Noten heraustropfen wie Regen, der sich selbst ganz träumt. Er geht ins Wohnzimmer. Der Plattenspieler bei dem Zweiersofa schnurrt, weil die Platte längst ans Ende gekommen ist, und das Rauschen wird lauter, je näher er kommt. Doch Chopin spielt weiter, irgendwo außerhalb seiner Reichweite. Er folgt der Quelle des Klangs, dreht suchend den Kopf. Und dort, auf dem Küchentisch, neben der umgekippten Milchflasche, der Flüssigkeit, die in weißen Fäden herabkommt wie ein Tischtuch in einem Alptraum – das blinzelnde rote Auge. Das Radio, das sie bei Goodwill gekauft hat, das in ihre Schürzentasche passt, wenn sie arbeitet, das sie, wenn es gewittert, unter ihr Kissen schiebt, die Nocturnes nach jedem Donnerschlag lauter. Es steht in der Milchpfütze, als wäre die Musik allein für es selbst komponiert worden. Im Einwegkörper des Jungen ist alles möglich. Deshalb bedeckt er das Auge mit seinem Finger, um sich zu überzeugen, dass er noch existiert, dann nimmt er das Radio. Die tropfende Milch der Musik in den Händen, öffnet er die Vordertür des Hauses. Es ist Sommer. Die Straßenhunde auf der anderen Seite der Gleise bellen, ein Kaninchen oder ein Opossum muss gerade aus seinem Leben heraus und in die Welt geschlüpft sein. Die Klaviertöne sickern durch die Brust des Jungen, als er zum Garten hinter dem Haus geht. Etwas in ihm wusste, dass sie dort sein würde. Dass sie warten würde. Weil es das ist, was Mütter tun. Sie warten. Sie stehen still, bis ihre Kinder jemand anderem gehören.

Da ist sie ja, am anderen Ende des kleinen, von Maschendrahtzaun umgebenen Gartens, mit dem Rücken zu ihm, ein platt gedrückter Basketball neben ihr. Ihre Schultern sind schmaler als noch vor einigen Stunden, da sie ihn ins Bett gebracht hatte, ihre Augen trübe und rosafarben. Ihr Nachthemd, das aus einem übergroßen T-Shirt besteht, ist am Rücken zerrissen, man sieht ihr Schulterblatt, weiß wie ein halbierter Apfel. Eine Zigarette schwebt links neben ihrem Kopf. Er geht auf sie zu. Zitternd, mit Musik in den Armen geht er auf seine Mutter zu. Sie ist gebeugt, verzerrt, winzig, wie von bloßer Luft zerquetscht.

»Ich hasse dich«, sagt er.

Er mustert sie, um zu sehen, was Sprache anrichten kann – aber sie rührt sich nicht. Dreht nur halb ihren Kopf. Die Zigarette, ein Gluttropfen, steigt zu ihren Lippen, flattert dann bei ihrem Kinn.

»Ich will nicht mehr, dass du meine Mom bist.« Seine Stimme seltsam tiefer, volltönender.

»Hast du gehört? Du bist ein Monster –«

Und da ist ihr Kopf von den Schultern gehackt.

Nein – sie beugt sich vor, sieht sich etwas zwischen ihren Füßen an. Die Zigarette hängt in der Luft. Er greift danach. Das Brennen, das er erwartet, kommt nicht. Stattdessen wimmelt seine Hand. Als er sie öffnet, entdeckt er den durchtrennten Rumpf des Glühwürmchens, und sein grünes Blut wird dunkel auf seiner Haut. Er sieht auf – da sind nur er und das Radio neben einem platten Basketball im Hochsommer. Die Hunde jetzt still. Und satt.

»Ma«, sagt er zu niemandem, Tränen treten ihm in die Augen, »ich hab's nicht so gemeint.«

»Ma!«, ruft er, stolpert ein paar Schritte nach vorn. Er lässt das Radio fallen, es kippt mit dem Lautsprecher voran in den Schmutz, dann dreht er sich zum Haus um. »Ma!« Er rennt wieder hinein, seine Hand noch nass von einem Einwegleben, auf der Suche nach ihr.

UND DANN SAGTE ich dir die Wahrheit.

Es war ein trüber Sonntag; den ganzen Morgen hatten dunkle Gewitterwolken am Himmel gehangen. Einer dieser Tage, an denen, wie ich hoffte, womöglich leicht über die Bindung zwischen zwei Menschen entschieden werden konnte – das Wetter war so trostlos, dass wir, du und ich, uns deutlich sehen würden, ein vertrautes Gesicht, das der düstere Hintergrund leuchtender hervortreten lassen würde, als wir es in Erinnerung hatten.

Im hellen Dunkin' Donuts dampften zwei Tassen schwarzer Kaffee zwischen uns. Du starrtest aus dem Fenster. Regen peitschte die Straße entlang, als die Autos vom Gottesdienst in der Main Street zurückkehrten. »Die Leute mögen heutzutage wohl diese SUV-Dinger.« Du beobachtetest die Autokarawane vor dem Drive-in. »Alle wollen immer höher und höher sitzen.« Deine Finger trommelten auf dem Tisch.

»Zucker, Ma?«, fragte ich. »Oder Sahne oder, ja, vielleicht einen Donut? O nein, du magst die Croissants –«

»Sag, was du zu sagen hast, Little Dog.« Deine Stimme verhalten, müde. Der Dampf aus der Tasse gab deiner Miene etwas Unstetes.

»Ich mag keine Mädchen.«

Ich wollte nicht das vietnamesische Wort dafür benutzen, *pêđê*, vom französischen *pédé*, kurz für *pédéraste*. Vor der französischen Besatzung hatte unser Vietnamesisch kein Wort für queere Körper gehabt – weil sie wie alle Körper als fleischlich und *eines* Ursprungs betrachtet wurden. Und ich wollte nicht

diesen Teil von mir einführen, indem ich ein Schimpfwort ver-
wendete.

Du blinzeltest ein paarmal.

»Du magst keine Mädchen«, wiederholtest du mit einem
abwesenden Nicken. Ich konnte sehen, wie die Worte durch
dich hindurchgingen, dich in den Sitz drückten. »Was magst
du *dann*? Du bist siebzehn. Du magst nichts. Du *weißt* nichts«,
sagtest du, am Tisch kratzend.

»Jungen«, sagte ich mit bedachter Stimme. Doch das Wort
fühlte sich in meinem Mund tot an. Der Stuhl knarrte, als du
dich vorlehntest.

»Schokolade! Ich will Schokolade!« Eine Kinderschar in
übergroßen blaugrünen T-Shirts, die, dem Inhalt ihrer Pa-
piertüten nach zu schließen, gerade von einem Ausflug zur
Apfelernte zurück war, strömte mit aufgeregtem Kreischen
ins Lokal.

»Ich kann gehen, Ma«, bot ich an. »Wenn du mich nicht
willst – ich kann gehen. Ich werd kein Problem sein, niemand
muss es wissen … Ma, sag was.« In der Tasse kräuselte sich
mein Spiegelbild in einer winzigen, schwarzen Flut. »Bitte.«

»Heißt das«, sagtest du mit der Hand vorm Kinn, »dass du
jetzt auch Kleider anziehst?«

»Ma –«

»Die werden dich umbringen«, du hast den Kopf geschüttelt, »das weißt du.«

»Wer wird mich umbringen?«

»Die bringen Leute dafür um, dass sie Kleider tragen. Das
kommt in den Nachrichten. Du kennst die Menschen nicht.
Du kennst sie nicht.«

»Ich nicht, Ma, versprochen. Schau, ich hab doch vorher
auch nie eins getragen, oder? Warum sollte ich jetzt?«

Du starrtest die zwei Löcher in meinem Gesicht an. »Du brauchst nirgendwohin zu gehen. Es gibt nur uns zwei, Little Dog. Ich habe sonst niemanden.« Deine Augen waren rot.

Die Kinder am anderen Ende des Lokals sangen »Old Mac-Donald hat 'ne Farm«, ihre Stimmen, ihre sorglose Begeisterung schrill.

»Sag mir«, du hast dich mit unruhiger Miene aufgesetzt, »wann hat das alles angefangen? Ich habe einen gesunden, normalen Jungen zur Welt gebracht. Das weiß ich. Wann?«

ICH WAR SECHS, in der ersten Klasse. Die Schule, in die ich ging, war eine ausgebaute Lutheranerkirche. Weil die Küche unter Dauerrenovierung stand, wurde das Mittagessen in der Turnhalle ausgegeben, wo sich die Markierungen des Basketballspielfelds in Bögen unter unseren Füßen spannten, wenn wir an den provisorischen Esstischen – zusammengeschobenen Schulpulten – saßen. Jeden Tag rollte das Personal riesige Behälter mit einzeln portionierten Tiefkühlmahlzeiten herein, rötlich braune Klumpen in zellophanverpackten weißen Vierecken. Die vier Mikrowellen, vor denen wir uns anstellten, summten die ganze Mittagspause hindurch, während ein Gericht nach dem andern geschmolzen wurde, dann mit einem Ping herauswanderte, dampfend und Blasen werfend in unsere wartenden Hände hinein.

Mit meinem Breiquadrat setzte ich mich neben einen Jungen mit einem gelben Poloshirt und seitlich gescheitelten schwarzen Haaren. Sein Name war Gramoz, und seine Familie war, wie ich später erfuhr, nach dem Zusammenbruch der Sowjetunion aus Albanien nach Hartford gekommen. Aber nichts davon war an jenem Tag wichtig. Wichtig war, dass er nicht ein weißes Quadrat mit grauem Brei hatte, sondern eine schicke türkisblaue Thermotasche mit Klettverschluss, aus der er ein Tablett mit Pizzabagels hervorzauberte, jeder einzelne geformt wie ein überdimensionaler Edelstein.

»Magst einen?«, sagte er beiläufig und biss in seinen Bagel.

Ich war zu schüchtern, um zuzugreifen. Als er das sah, nahm Gramoz meine Hand, drehte sie um und legte einen Bagel hinein. Er war schwerer als gedacht. Und irgendwie immer noch warm. Später, in der Pause, folgte ich Gramoz auf Schritt und Tritt. Zwei Sprossen hinter ihm am Hangelgerüst, an seinen Fersen, als er die Leiter zu der gelben Spiralrutsche hinaufstieg, bei jedem Schritt blitzten seine weißen Keds auf.

Wie sonst konnte ich mich bei dem Jungen, der mir meinen ersten Pizzabagel geschenkt hatte, revanchieren, außer zu seinem Schatten zu werden?

Das Problem war, dass mein Englisch zu der Zeit noch nicht vorhanden war. Ich konnte nicht mit ihm sprechen. Und selbst wenn, was konnte ich schon sagen? Wohin folgte ich ihm? Zu welchem Zweck? Vielleicht war es kein Ziel, das ich suchte, sondern nur etwas, das sich fortsetzte. Sich in Gramoz' Nähe zu halten hieß, im Umfeld seiner einen freundlichen Geste zu verbleiben, in der Zeit zu der Mittagspause, der Pizza zurückzureisen, die sich so schwer auf meiner Hand angefühlt hatte.

Eines Tages, als wir auf der Rutsche waren, drehte sich Gramoz mit rot aufgeblasenen Wangen um und schrie: »Hör auf, mir nachzulaufen, du Missgeburt! Was stimmt nicht mit dir, Mann?« Es waren nicht die Worte, sondern seine Augen, zusammengekniffen, als ob er zielte, die mich verstehen ließen.

Ein von seinem Ursprung abgetrennter Schatten, blieb ich oben auf der Rutsche stehen und sah, wie sein glänzender Seitenscheitel durch den Tunnel immer kleiner wurde, bevor er spurlos im Kinderlachen verschwand.

ALS ICH DACHTE, jetzt ist es vorbei, jetzt habe ich mir alles von der Seele geredet, sagtest du: »Jetzt muss ich *dir* etwas erzählen«, und schobst deinen Kaffee zur Seite.

Mein Kiefer presste sich zusammen. Das sollte eigentlich kein Austausch auf Augenhöhe sein, kein Tauschhandel. Ich nickte, während du sprachst, als ginge ich bereitwillig darauf ein.

»Du hast einen älteren Bruder.« Du hast dir das Haar aus den Augen gestrichen, ohne mit der Wimper zu zucken. »Aber er ist tot.«

Die Kinder waren noch da, aber ich hörte ihre dünnen, flüchtigen Stimmen nicht mehr.

Wir tauschten Wahrheiten aus, begriff ich: Wir schnitten einander.

»Sieh mich an. Du musst das wissen.« Du trugst ein Gesicht. Deine Lippen ein violetter Strich.

Du fuhrst fort. Wie du einmal einen Sohn hattest, der in dir heranwuchs, einen Sohn, dem du einen Namen gegeben hattest, einen Namen, den du nicht wiederholen willst. Der Sohn begann sich in dir zu regen, seine Glieder streiften an deinem Bauchumfang entlang. Und du sangst ihm vor und sprachst zu ihm, wie du es bei mir gemacht hast, erzähltest ihm Geheimnisse, die nicht einmal dein Mann kannte. Du warst siebzehn und noch in Vietnam, im selben Alter wie ich, als ich dir dort gegenübersaß.

Deine Hände jetzt zu einem Fernglas geformt, als wäre die Vergangenheit etwas, auf das du Jagd machen müsstest. Der

Tisch nass vor dir. Du hast ihn mit einer Serviette abgewischt, dann von 1986 weitererzählt, dem Jahr, in dem sich mein Bruder, dein Sohn, angekündigt hatte. Wie dich dein Mann – mein Vater – im vierten Monat der Schwangerschaft, wenn das Gesicht eines Kindes zu einem Gesicht wird, unter dem Druck seiner Familie zwang, ihn abzutreiben.

»Es gab nichts zu essen«, sagtest du, dein Kinn über dem Tisch immer noch in die Hand gestützt. Ein Mann, der zu den Toiletten wollte, fragte, ob er vorbeikönne. Du rücktest zur Seite, ohne aufzusehen. »Die Menschen haben Sägemehl in den Reis gemischt, um ihn zu strecken. Du konntest von Glück sagen, wenn du Ratten zu essen hattest.«

Du sprachst vorsichtig, als wäre die Geschichte eine Flamme zwischen deinen Händen im Wind. Die Kinder waren endlich fort – es war nur noch ein älteres Paar da, zwei weiße Haarwölkchen hinter ihren Zeitungen.

»Anders als dein Bruder«, sagtest du, »wurdest du erst geboren, als wir sicher waren, dass du auch leben würdest.«

WOCHEN SPÄTER, NACHDEM Gramoz mir den Pizzabagel geschenkt hatte, bekam ich von dir mein erstes Fahrrad: ein knallpinkes Schwinn mit Stützrädern und weißen Bändern an den Griffen, die wie winzige Pompons selbst dann ratterten, wenn ich mit Schrittgeschwindigkeit fuhr, was ich oft tat. Es war pink, weil es das günstigste Rad im Laden gewesen war.

Als ich an jenem Nachmittag meine Runden auf dem Parkplatz der Mietskaserne drehte, blieb das Rad auf einmal abrupt stehen. Jemand hatte die Lenkstange gepackt und ließ sie nicht los. Es war ein Junge, vielleicht zehn, sein fettes nasses Gesicht war auf einen hoch aufragenden, fleischigen Torso gepfropft.

Bevor ich überhaupt begriff, was passierte, kippte das Rad zurück, und ich landete mit dem Hintern auf dem Pflaster. Du warst nach oben gegangen, um nach Lan zu sehen. Hinter dem ersten Jungen trat ein kleinerer mit Wieselgesicht hervor. Das Wiesel krähte etwas, und Speichel sprühte glitzernd in das schräg fallende Sonnenlicht vor ihm.

Der große Junge holte eine Schlüsselkette hervor und begann, die Farbe von meinem Rad zu kratzen. Sie kam so leicht herunter, in rosigen Funken. Ich saß da und sah zu, wie das Pink den Beton sprenkelte, als er mit dem Schlüssel das Fahrradgerüst aufschlitzte. Ich wollte schreien, wusste jedoch auf Englisch noch nicht, wie. Also tat ich nichts.

Das war der Tag, an dem ich lernte, wie gefährlich Farben sein können. Dass man einen Jungen von einem Farbton herunterschubsen und für sein Vergehen büßen lassen konnte. Auch wenn Farbe nichts ist als etwas, das im Licht sichtbar wird, hat dieses *Nichts* Gesetze, und ein Junge auf einem pinken Fahrrad muss zuallererst das Gesetz der Schwerkraft erlernen.

An jenem Abend kauerte ich neben dir im Licht der nackten Glühbirne in der Küche, während du mit langen, fachmännisch präzisen Pinselstrichen über die Kobaltnarben am Rad fuhrst, das Fläschchen mit pinkem Nagellack ruhig und sicher in deiner Hand.

»IM KRANKENHAUS HABEN die mir Tabletten gegeben. Ich hab sie einen Monat lang genommen. Um ganz sicherzugehen. Nach einem Monat sollte ich es entbinden – ihn, meine ich.«

Ich wollte weg, Stopp sagen. Doch der Preis für ein Geständnis war, wie ich lernte, dass man eine Antwort bekam.

Nachdem du die Pillen einen Monat lang geschluckt hattest, als er eigentlich schon nicht mehr da sein sollte, hast du ein Stechen in dir gespürt. Sie rasten mit dir ins Krankenhaus zurück, diesmal in die Notaufnahme. »Ich fühlte ihn treten, als sie mich Hals über Kopf durch die grauen Räume schoben, wo die Farbe von den Wänden blätterte. Im Krankenhaus hat es immer noch nach Rauch und Benzin vom Krieg gerochen.«

Nach nur einer Novocain-Injektion zwischen deine Schenkel sind die Schwestern schon mit einem langen metallischen Instrument reingegangen und haben »mein Baby einfach aus mir herausgekratzt, wie Kerne aus einer Papaya«.

Es war dieses Bild, das konkret Alltägliche daran – die Zubereitung einer Frucht, bei der ich dir tausendmal zugesehen hatte, wie der Löffel an dem fleischig orangen Inneren der Papaya entlangfuhr, ein Matsch schwarzer Kerne, der in die Stahlspüle klatschte –, was es unerträglich machte. Ich zog mir die Kapuze meines weißen Sweaters über den Kopf.

»Ich hab ihn gesehen, Little Dog. Ich hab mein Baby gesehen, nur ein ganz kurzer Blick. Ein bräunliches Etwas auf dem Weg in den Abfalleimer.«

Ich streckte meine Hand über den Tisch und berührte dich am Arm.

Genau in diesem Moment lief ein Song von Justin Timberlake über die Lautsprecher, sein gebrechliches Falsett wob sich durch Kaffeebestellungen, das Rumpeln von Kaffeesatz in Plastikmülleimern. Du sahst mich an, dann an mir vorbei.

Als dein Blick zu mir zurückkehrte, sagtest du: »Es war in Saigon, dass ich Chopin zum ersten Mal gehört habe. Wusstest du das?« Dein Vietnamesisch plötzlich leichter, schwebend. »Ich war wohl sechs oder sieben. Der Nachbar von gegenüber war ein Konzertpianist, der in Paris studiert hatte. Er stellte den Steinway immer in seinen Hof und spielte abends bei offener

Tür. Und sein Hund, dieser kleine schwarze Hund, vielleicht so groß, stand dann auf und fing an zu tanzen. Seine kleinen dürren Beinchen tappten Kreise in den Staub, aber der Mann hat den Hund nie angesehen, sondern spielte mit geschlossenen Augen. Darin lag seine Macht. Ihm war egal, welches Wunder er mit seinen Händen vollbrachte. Ich saß da auf der Straße und sah bei etwas zu, das mir wie Zauberei vorkam: Musik, die ein Tier in einen Menschen verwandelte. Ich habe diesen Hund, bei dem die Rippen hervortraten, angesehen, wie er zu französischer Musik tanzte, und dachte, dass alles möglich ist. Alles.« Du faltetest deine Hände auf dem Tisch, eine gleichermaßen traurige wie aufgewühlte Geste. »Der Mann hörte auf, ging zum Hund, der schwanzwedelnd wartete, und legte die Belohnung in sein offenes Maul. Einmal mehr der Beweis dafür, dass es Hunger war und nicht Musik, was dem Hund seine menschliche Fähigkeit verlieh – aber ich wollte immer noch daran glauben. Dass alles möglich ist.«

Folgsam nahm der Regen wieder zu. Ich lehnte mich zurück und sah zu, wie er die Fenster zerfließen ließ.

MANCHMAL, WENN ICH mir nicht allzu viele Gedanken mache, kommt mir Überleben leicht vor: Man macht einfach damit weiter, was man hat oder davon übrig ist, was einem gegeben wurde, bis sich etwas ändert – oder man endlich erkennt, dass man sich selbst ändern kann, ohne zu verschwinden. Dass man nur abzuwarten braucht, bis der Sturm über einen hinweggezogen ist, und man feststellt, dass – ja, der eigene Name immer noch mit einem Lebewesen verbunden ist.

Einige Monate vor unserem Gespräch im Dunkin' Donuts hatte ein vierzehnjähriger Junge im ländlichen Vietnam sein eigenes Gesicht mit Säure überschüttet, nachdem er einen Liebesbrief in den Spind eines anderen Jungen gesteckt hatte. Letzten Sommer marschierte der gebürtig aus Florida stammende, achtundzwanzigjährige Omar Mateen in einen Nachtclub in Orlando, hob sein automatisches Gewehr und eröffnete das Feuer. Neunundvierzig Menschen wurden getötet. Es war ein Gay-Club, und die Jungen – denn das waren sie: Söhne, Teenager – sahen aus wie ich: farbige Dinger, geboren von einer Mutter, die die Dunkelheit und einander nach Glück erkunden.

Manchmal, wenn ich mir nicht allzu viele Gedanken mache, glaube ich, dass die Wunde auch der Ort ist, wo die Haut sich selbst wiederbegegnet und von jedem Ende wissen will: Wo bist du gewesen?

Wo sind wir gewesen, Ma?

DIE DURCHSCHNITTLICHE PLAZENTA wiegt ungefähr 680 Gramm. Ein Wegwerforgan, über das Nährstoffe, Hormone und Ausscheidungen zwischen Mutter und Fötus ausgetauscht werden. So gesehen, ist die Plazenta eine Art Sprache: vielleicht unsere erste, unsere wahre Muttersprache. Im Alter von vier oder fünf Monaten war die Plazenta meines Bruders bereits voll entwickelt. Ihr zwei habt miteinander kommuniziert – in Blutworten.

»Er ist zu mir gekommen, weißt du.«

Draußen hatte es aufgehört zu regnen. Der Himmel eine ausgeleerte Schüssel.

»Er ist zu dir gekommen?«

»Mein Junge, er ist im Traum zu mir gekommen, ungefähr eine Woche nach dem Krankenhaus. Er saß vor meiner Tür.

Wir haben uns für einen Moment angesehen, dann hat er sich einfach umgedreht und ist weggegangen, die Gasse hinunter. Ich glaube, er wollte einfach wissen, wie ich aussah, wie seine Mutter aussah. Ich war ein Mädchen. Gott … Mein Gott, ich war siebzehn.«

IM COLLEGE HATTE ich einen Professor, der während eines Exkurses von einer *Othello*-Vorlesung einmal stur behauptete, dass schwule Männer seiner Meinung nach *von Natur aus* narzisstisch seien und dass offenkundiger Narzissmus womöglich ein Zeichen für Homosexualität bei Männern sei, die sich ihre »Neigungen« noch nicht eingestehen könnten. Ich schäumte auf meinem Platz, und doch hörte der Gedanke nicht auf, in mir zu bohren. Konnte es sein, dass ich Gramoz vor all diesen Jahren bloß deshalb auf dem Schulhof nachgelaufen war, weil er ein Junge war und mithin ein Spiegel meiner selbst?

Aber sollte das stimmen − wieso eigentlich nicht? Vielleicht blicken wir nicht nur auf der Suche nach Schönheit in den Spiegel − wie illusorisch das auch sein mag −, sondern weil wir uns vergewissern wollen, dass wir trotz allem noch da sind. Dass der gejagte Körper, in dem wir uns bewegen, noch nicht ausgelöscht, nicht ausgeschabt wurde. Sich selbst immer noch als *sich selbst* zu sehen ist eine Zuflucht, von der Menschen, die niemals in ihrem Leben verleugnet wurden, nichts wissen können.

Ich habe gelesen, dass Schönheit seit jeher Nachbildung hervorgerufen hat. Wir machen mehr aus allem, was wir ästhetisch ansprechend finden, egal ob eine Vase, ein Gemälde, ein Kelch, ein Gedicht. Wir reproduzieren sie, um sie zu bewahren, durch Zeit und Raum auszudehnen. Etwas zu betrachten, was uns gefällt, ein Fresko, eine pfirsichrote Bergkette, ein Junge, das Muttermal an seinem Kinn, ist an sich schon Nachbildung – das Bild wirkt im Auge nach, das mehr daraus, es dauerhaft macht. Wenn ich in den Spiegel sehe, bilde ich mich selbst in eine Zukunft nach, in der ich womöglich nicht existiere. Und ja, es waren vor all diesen Jahren keine Pizzabagels, die ich von Gramoz wollte, sondern Nachbildung. Weil sein Anerbieten mich zu etwas anwachsen ließ, das Großzügigkeit wert war und mithin gesehen wurde. Und es war genau dieses Mehrsein, zu dem ich mich ausdehnen, zu dem ich zurückkehren wollte.

Es ist kein Zufall, Ma, dass das Komma an einen Fötus erinnert – diese Kurve der Fortsetzung. Wir waren einmal alle im Leib unserer Mütter und drängten mit unserem ganzen gekrümmten und stillen Selbst: Mehr, mehr, mehr. Die Tatsache, dass wir am Leben sind, darauf beharre ich, ist schön genug, um nachgebildet zu werden. Und wenn schon – wenn alles, was ich je aus meinem Leben gemacht habe, nur Nachbildung, Ausdehnung, mehr davon war?

»Ich muss mich übergeben«, sagtest du.

»Was?«

»Ich muss mich übergeben.« Du springst auf und steuerst in Richtung Toiletten.

»Oje, du meinst es ernst«, sagte ich und lief hinter dir her. In der Toilette hast du dich über die einzige Schüssel gekniet und sofort erbrochen. Dein Haar war zu einem Knoten zurückgebunden, trotzdem kniete ich mich hin und hielt mit zwei Fingern deine drei oder vier losen Haarsträhnen zurück, weil man das eben so machte. »Alles okay, Ma?« Ich sprach mit deinem Hinterkopf.

Und wieder spucktest du, dein Rücken unter meiner Handfläche zuckte krampfhaft. Erst als ich neben deinem Kopf das

Urinal voller Schamhaare sah, begriff ich, dass wir auf der Männertoilette waren.

»Ich besorge dir etwas Wasser.« Ich tätschelte deinen Rücken und stand auf.

»Nein«, riefst du mit rotem Gesicht über die Schulter, »Limo. Ich brauche eine Limo.«

Wir verlassen den Dunkin' Donuts schwerer durch das neue Wissen über einander. Was du aber nicht wusstest, ist, dass ich in Wirklichkeit schon ein Kleid getragen *hatte* – und es wieder tun würde. Dass ich ein paar Wochen zuvor in einer alten Tabakscheune in einem weinroten Kleid getanzt hatte, während mein Freund, ein schlaksiger Junge mit einem blauen Auge, benommen zusah. Ich hatte das Kleid aus deinem Schrank geangelt – das eine, das du für deinen fünfunddreißigsten Geburtstag gekauft, aber nie getragen hast. Ich wirbelte in dem hauchfeinen Stoff, und Trevor, der auf einem Reifenstapel thronte, klatschte zwischen Zügen an einem Joint dazu, unsere Schlüsselbeine harsch beleuchtet von den beiden Handys, die auf dem vor toten Motten staubigen Boden lagen. In dieser Scheune hatten wir das erste Mal seit Monaten vor niemandem Angst – nicht einmal vor uns selbst. Du fährst den Toyota heim, ich sitze schweigend neben dir. Es sieht danach aus, als ob der Regen am Abend zurückkommt und die Stadt die ganze Nacht hindurch auswäscht, die Bäume entlang der Autobahn ewig tropfend. Beim Abendessen werde ich mit meinem Stuhl an den Tisch heranrücken. Wenn ich dann meine Kapuze wegstreife, wird ein Strohhalm, der sich dort Wochen zuvor in der Scheune verfangen hat, aus meinem schwarzen Haar hervorstehen. Du wirst die Hand ausstrecken, ihn wegstreichen und mich kopfschüttelnd ansehen, den Sohn, den du dich entschieden hast zu behalten.

DAS GELÄCHTER IM Wohnzimmer war deprimierend. Aus dem mikrowellengroßen Fernseher plärrte eine Sitcom eine blecherne Scheinfröhlichkeit heraus, an die niemand glaubte. Niemand außer Trevors Dad; oder vielleicht glaubte er nicht so sehr daran, er kapitulierte vielmehr, gluckste in seinem La-Z-Boy vor sich hin, die Flasche Southern Comfort wie ein Cartoonkristall im Schoß. Jedes Mal wenn er sie hob, lief das Braun ab, bis nur noch die Farben aus dem Fernseher durch die leere Flasche blitzten. Er hatte ein breites Gesicht und einen selbst zu dieser Stunde pomadigen Kurzhaarschnitt. Er sah aus wie Elvis am letzten Tag seines Lebens. Der Teppich unter seinen nackten Füßen glänzte nach Jahren der Abnutzung wie verschüttetes Öl.

Wir saßen hinter dem Alten auf einem improvisierten Sofa, herausgerissen aus dem Wrack eines Dodge Caravan, und tranken abwechselnd aus einer Flasche Sprite, während wir kichernd mit einem Jungen in Windsor texteten, den wir nie getroffen hatten. Selbst dort konnten wir den Alten riechen, den strengen Geruch nach Alkohol und billigen Zigarren, und taten so, als sei er nicht da.

»Lach nur, du.« Trevors Dad rührte sich kaum, doch seine Stimme grollte. Wir konnten sie durch den Sitz spüren. »Nur zu, mach dich lustig über deinen Vater. Ihr lacht ja alle wie Seehunde.«

Ich musterte die Umrisse seines Hinterkopfs vor dem kalkigen Fernsehlicht, nahm aber keine Bewegung wahr.

»Wir lachen dich nicht aus, Alter.« Trevor verzog das Gesicht zu einer Grimasse und steckte das Telefon in die Tasche. Seine Hände fielen herab, als hätte jemand sie von seinen Knien gewischt. Er starrte die Rückenlehne des Sessels an. Von dort, wo wir saßen, war nur ein Ausschnitt vom Kopf des Mannes zu sehen, ein wenig Haar und ein Teil seiner Wange, weiß wie eine Scheibe Putenbrust.

»Sagst jetzt schon Alter zu mir, he? Fühlst dich ganz groß, was? Du glaubst, ich bin plemplem, nich' wahr, aber du irrst dich, Junge. Ich hör dich. Ich seh Dinge.« Er hustete; ein Sprühnebel aus Alkohol. »Denk dran, ich war der beste Robbentrainer im SeaWorld. Orlando 85. Deine Mutter war auf der Tribüne, und meine Nummer hat sie von ihr'm Sitz gerissen. Meine Navy Seals, die Welpen. Ich war der General der Seelöwen. So hat sie mich genannt. Der General. Wenn ich ihnen befohlen hab zu lachen, haben sie gelacht.«

Ein Infomercial summte im Apparat, irgendetwas über einen aufblasbaren Weihnachtsbaum, den man in der Hosentasche verstauen konnte. »Welcher Bekloppte will schon mit einem gottverdammten Weihnachtsbaum in der Tasche rumlaufen? Schnauze voll von diesem Land.« Sein Kopf rollte auf die Seite, ließ eine dritte Speckrolle in seinem Nacken zum Vorschein kommen. »He – is' dieser Junge wieder da? Steckst mit diesem Chinajungen zusammen, was? Weiß ich doch. Ich hör ihn. Spricht nicht, aber ich hör ihn.« Sein Arm schoss hoch, und ich spürte durch das Sitzpolster, wie Trevor zusammenzuckte. Der alte Mann nahm noch einen Schluck, die Flasche längst leer, aber er wischte sich trotzdem über den Mund.

»Dein Onkel James. Kennst doch James noch, nich'?«

»Ja, schon«, brachte Trevor heraus.

»Wie war das?«

»Ja, Sir.«

»So ist das.« Der alte Mann sank tiefer in seinen Sitz, sein Haar glänzte. Die Hitze schien von seinem Körper auszustrahlen, die Luft zu durchdringen. »Guter Kerl, aus 'm richtigen Holz geschnitzt, dein Onkel. Hat ihnen das Fell gegerbt in dem Dschungel da. Er hat gut an uns getan. Hat sie abgefackelt. Weißt du das, Trev? Darum geht's.« Er erstarrte wieder zur Reglosigkeit, seine Lippen schienen sich unabhängig von irgendeinem Teil seines Gesichts zu bewegen. »Hat er dir schon erzählt? Wie er vier von denen mit Benzin in einem Graben abgefackelt hat? In seiner Hochzeitsnacht hat er's mir erzählt, stell dir vor.«

Ich spähte zu Trevor hinüber, sah jedoch nur seinen Nacken, sein Gesicht war zwischen den Knien verborgen. Er schnürte mit verbissenen Bewegungen seine Stiefel zu, die Plastiknadeln tickten durch die Ösen, während seine Schultern ruckten.

»Aber's jetzt anders, das weiß ich. Bin nich' dumm, Junge. Weiß auch, dass du mich hasst. Das weiß ich.«

[Lachkonserve]

»Hab deine Mom vor zwei Wochen gesehen. Hab ihr die Schlüssel zum Lagerraum in Windsor Locks gegeben. Weiß nich', warum's so lang gedauert hat, um endlich ihren Krempel abzuholen. Oklahoma macht wohl nich' so viel her in der Hinsicht.« Er hielt inne. Nahm noch einen Phantomschluck. »Ich hab dich gut hinbekommen, Trev. Das weiß ich.«

»Du bist ein Stück Scheiße.« Trevors Gesicht wurde steinern.

»Was war das? Was ich sage – «

»Ich hab gesagt, du bist 'n Stück Scheiße, Alter.« Der Fernseher beleuchtete Trevors Gesicht grau bis auf die Narbe in seinem Nacken, dunkelrot wie eh und je. Er hatte sie, seit er neun war; sein Alter hatte in einem Wutausbruch mit einer

Nagelpistole gegen die Haustür geschossen, und das Ding war abgeprallt. Blut, so rot, so überall, es war wie Weihnachten im Juni, hatte Trevor erzählt.

»Du hast mich schon gehört.« Trevor stellte die Sprite auf dem Teppich ab, tippte mir auf die Brust: das Zeichen für den Aufbruch.

»So redest du jetzt mit mir?«, geiferte der Alte, den Blick auf den Bildschirm geheftet.

»Ja, und? Kannst doch ´n Scheiß dagegen tun«, sagte Trevor. »Los, mach doch, knall mich *weg*.« Trevor trat einen Schritt auf den Sessel zu. Er wusste etwas, das ich nicht wusste. »Bist du fertig?«

Der Alte atmete auf der Stelle. Der Rest des Hauses war dunkel und still, wie ein nächtliches Krankenhaus.

Nach einem Augenblick sagte er mit einem seltsam schrillen Quengeln: »Ich hab's gut gemacht, Schatz.« Seine Finger rutschten auf der Armlehne herum. Die Figuren in der Sitcom ein Flimmern in seinem ölig angeklatschten Haar.

Ich glaubte, Trevor ein- oder zweimal nicken zu sehen, aber der Fernseher könnte mich getäuscht haben.

»Bist genau wie James. So ist das. Ich weiß doch, bist ein Guter, du fackelst sie ab.« Seine Stimme eierte. »Siehst du? Das is' Neil Young. Eine Legende. Ein Krieger. Bist wie er, Trev.« Er deutete auf das Poster beim Flur, als die Tür sich, ohne zu klicken, vor ihm schloss. Wir schlüpften in die frostige Luft hinaus, gingen zu unseren Rädern, während der Alte undeutlich hinter uns weiterleierte.

Das Pflaster strömte unter unseren Reifen dahin. Wir sprachen kein Wort, als die Ahornbäume im Licht der Natriumlampen rot und reglos über uns aufragten. Es fühlte sich gut an, von der Gegenwart seines Alten frei zu sein.

Wir fuhren am Connecticut River entlang, als die Nacht in sich selbst hereinbrach, der Mond stand neu und hoch über den Eichen, seine Ränder von dem ungewöhnlich warmen Herbst in einen Dunstschleier gehüllt. Die Strömung zu unserer Rechten wirbelte weiß schäumend dahin. Hin und wieder, wenn es zwei oder drei Wochen nicht geregnet hatte, trieb ein Körper aus den Tiefen hoch, das bleiche Aufscheinen einer Schulter an der Oberfläche, und die Familien, die an den Ufern grillten, hielten dann inne, und ein Verstummen kam unter die Kinder herab, und jemand schrie: »Gott, o Gott«, und jemand anderes wählte den Notruf. Und manchmal ist es blinder Alarm: ein Kühlschrank, so verrostet und von Flechten verdreckt, dass man es für ein braunes Gesicht halten konnte. Und manchmal sind es die Fische, die auf einmal grundlos, zu Tausenden mit dem Bauch nach oben treiben, die Flussoberfläche bunt schillernd über Nacht.

Ich habe alle Blocks in unserer Stadt gesehen, von denen du nichts wusstest, weil du zu beschäftigt mit Arbeit warst – Blocks, wo Dinge passierten. Dinge, die sogar Trevor nie gesehen hatte, obwohl er sein ganzes Leben auf dieser Seite des Flusses – der weißen Seite – gewohnt hatte, wo ich jetzt fuhr. Ich sah die Lichter in der Asylum Avenue, wo früher ein Irrenhaus gestanden hatte (das genau genommen eine Schule für Gehörlose war), in dem anno achtzehnhundertirgendwas ein Feuer ausgebrochen und eine halbe Station darin umgekommen war, und bis heute kennt niemand die Ursache. Aber für mich ist es die Straße, in der mein Freund Sid mit seiner Familie wohnte, nachdem sie 95 aus Indien herübergekommen waren. Wie seine Mom, früher in Neu-Delhi eine Lehrerin, auf ihrem aufgedunsenen diabetischen Fuß von Tür zu Tür humpelte und Jagdmesser von Cutco verkaufte, für einen Lohn von siebenundneunzig Dollar die Woche – auf die Hand. Da gab es die Canino-Brüder, deren Vater gefühlt zweimal lebenslänglich im Gefängnis saß, weil er auf der Interstate 91 vor einer Polizeistreife hundertzehn statt der erlaubten hundert gefahren war. Das und die zwanzig Beutel Heroin und die Glock unter dem Beifahrersitz. Trotzdem, trotzdem. Da war Marin, die bei Sears in Farmington arbeitete und mit dem Bus je fünfundvierzig Minuten hin und zurück brauchte, die immer Gold an Hals und Ohren trug und deren Stöckelschuhe wie der langsamste, absichtlichste Applaus klackten, wenn sie für Zigaretten und Hot Cheetos zum Eckkiosk ging, während sie mit vorstehendem Adamsapfel den Mittelfinger in Richtung der Männer gestreckt hielt, die sie *Schwuchtel* und *Homomaphedit* nannten. Die mit der Tochter oder dem Sohn an der Hand sagten: »Ich mach dich kalt, Schlampe, ich schlitz dich auf, Aids wird dich ausrotten. Schlaf lieber nicht heute Nacht, schlaf nicht heute Nacht, schlaf nicht heute Nacht. Schlaf nicht.«

Wir kamen an dem Mietshaus in der New Britain Avenue vorbei, wo wir drei Jahre lang gewohnt hatten. Wo ich auf meinem pinken Fahrrad mit Stützrädern die Linoleumflure auf und ab gefahren war, damit die Kinder vom Block mich nicht wegen der Farbe verprügelten. Ich bin sicher hundertmal am Tag diese Gänge entlanggefahren, und die kleine Klingel klirrte jedes Mal, wenn ich gegen die Wand am Ende stieß. Wie Mr Carlton, der Mann, der in der hintersten Wohnung lebte, ständig herauskam und mich tagtäglich anbrüllte: »Wer bist du? Was machst du da? Warum gehst du nicht raus? Wer bist du? Du bist nicht meine Tochter! Du bist nicht Destiny! Wer bist du?« Doch all das, das ganze Gebäude, ist jetzt fort – eine Jugendherberge an seiner Stelle –, und selbst der von fast meterhohem Unkraut überwucherte Anwohnerparkplatz (wo keiner parkte, weil keiner ein Auto hatte) ist verschwunden, alles niedergewalzt und mittlerweile ein Gemeinschaftsgarten, die Vogelscheuchen darin aus Schaufensterpuppen gebastelt, die der Ramschladen an der Bushnell weggeworfen hatte. Ganze Familien gehen jetzt dort schwimmen und spielen Handball, wo wir früher geschlafen haben. Menschen schwimmen Schmetterling an der Stelle, wo Mr Carlton irgendwann, allein, in seinem Bett gestorben ist. Wie es wochenlang niemand bemerkte, bis die ganze Etage zu stinken anfing und das SWAT-Team (ich weiß nicht, warum) kommen musste, um mit Gewehren die Tür einzuschlagen. Wie man Mr Carltons Sachen einen ganzen Monat lang in einem großen Eisencontainer draußen hinterm Haus stehen ließ und ein handbemaltes Holzpony mit baumelnder Zunge in den Regen hinausguckte.

Trevor und ich radelten weiter, vorbei an der Church Street, wo Big Joes Schwester sich den goldenen Schuss gesetzt hatte, dann vorbei an dem Parkplatz hinter dem MEGA XXXLOVE DEPOT, wo Sasha sich den goldenen Schuss gesetzt, dem Park, wo Jake und B-Rab sich den goldenen Schuss gesetzt hatten.

Außer dass B-Rab überlebte, nur um Jahre später erwischt zu werden, als er Laptops aus dem Trinity College stahl, und vier Jahre Knast bekam – ohne Bewährung. Was viel war, *zumal* für einen weißen Jungen aus der Vorstadt. Da war Nacho, der sein rechtes Bein im Golfkrieg verloren hatte und den man an Wochenenden in der Maybelle-Autowerkstatt, wo er arbeitete, dabei antreffen konnte, wie er mit einem Skateboard unter die aufgebockten Autos glitt. Wo er einmal ein hübsches schreiendes, rotgesichtiges Baby aus dem Kofferraum eines Nissan hob, den jemand während eines Schneesturms im hinteren Teil der Werkstatt stehengelassen hatte. Wie er seine Krücken hinwarf und das Baby mit beiden Händen hielt, und die Luft ihn zum ersten Mal seit Jahren trug, während der Schnee herabkam, dann wieder vom Boden aufstieg, so hell, dass eine gedämpfte, gnädige Stunde lang jeder in der Stadt vergaß, warum er versuchte, aus ihr wegzukommen.

Da war Mozzicato's in der Franklin, wo ich meine ersten Cannoli gegessen hatte. Wo nichts, was mir vertraut war, jemals verging. Wo ich in einer Sommernacht gesessen und aus dem Fenster im fünften Stock unseres Gebäudes gesehen hatte, und die Luft war warm und süß, wie sie es jetzt ist, und da waren die leisen Stimmen junger Paare, und ihre Converse und Air Force One klopften auf den Feuertreppen aneinander, während sie sich nach Kräften bemühten, den Körper in seinen anderen Zungen sprechen zu lassen, das Aufzischen von Streichhölzern oder Flammen aus Feuerzeugen, die glänzten und geformt waren wie 9 mm oder Colt 45. Das war unsere Art, den Tod lächerlich zu machen, Feuer auf die Größe von Cartoonregentropfen zu schrumpfen, sie dann wie Lügengeschichten durch Zigarillospitzen zu saugen. Weil der Fluss hier irgendwann ansteigt. Er tritt über seine Ufer, um all das einzufordern und uns zu zeigen, was wir verloren haben, wie seit jeher.

Die Fahrradspeichen surrten. Der Abwassergestank von der Kläranlage brannte in meinen Augen, kurz bevor der Wind damit machte, was er mit den Namen der Toten macht – ihn hinter mich fegte.

Wir überquerten den Fluss, ließen alles hinter uns, während die Speichen uns tiefer in die Vororte hineintickten. Als wir auf die Straße in East Hartford stießen, wehte von den Hügeln der Duft von Holzrauch herab und machte uns den Kopf frei. Beim Fahren starrte ich Trevors Rücken an, die braune UPS-Jacke, die sein Papa bekommen hatte, als er einmal da gearbeitet hatte, bevor er nach einer Woche gefeuert wurde, weil er in seiner Pause ein Sixpack weggekippt und kurz vor Mitternacht inmitten eines Bergs Pappkartons wieder aufgewacht war; jetzt schimmerte sie violett unter dem Mond.

Wir fuhren die Main Street entlang. Als wir am Coca-Cola-Abfüllwerk vorbeikamen, dessen Neonschild riesig über dem Gebäude brannte, schrie Trevor: »Scheiß auf Coca-Cola! Sprite über alles, ihr Wichser!« Er sah über die Schulter und lachte abgehackt. »Ja, scheiß auf die«, setzte ich hinzu. Aber er hörte nicht.

Die Straßenlichter verschwanden, und der Gehweg mündete in einen grasbewachsenen Randstreifen; wir steuerten also die Hügel hinauf, zu den Villen. Bald waren wir tief in den Vororten, in South Glastonbury, und nach und nach tauchten die Hausbeleuchtungen auf, flitzten zuerst als oranges Funkeln zwischen den Bäumen hindurch, aber als wir näher kamen, weiteten sie sich zu stattlichen Bahnen aus Gold. Man konnte durch diese Fenster spähen, Fenster ohne Eisenstäbe, die Vorhänge weit geöffnet. Selbst von der Straße konnte man die glitzernden Kronleuchter, Esstische, bunten Tiffany-Lampen mit dekorativen Glasschirmen erkennen. Die Häuser waren so groß, dass man in alle Fenster hineinblicken konnte, ohne einen einzigen Menschen zu sehen.

Als wir den steilen Hang der Straße hinaufstrampelten, öffnete sich der sternlose Himmel, die Bäume wichen allmählich zurück, und die Häuser klafften immer weiter auseinander. Zwei benachbarte Grundstücke waren durch einen ganzen Obstgarten voneinander getrennt, dessen Äpfel bereits auf der Erde zu verrotten begannen – niemand da, der sie erntete. Die Früchte rollten auf die Straße, wo das Fleisch, breiig und braun geworden, unter den vorüberfahrenden Autos aufplatzte.

Oben auf einem der Hügel hielten wir erschöpft an. Mondlicht besah den Obstgarten zu unserer Rechten. Die Äpfel schimmerten schwach an ihren Ästen, plumpsten hier und dort rasch herab, der süßliche Gärgeruch in unseren Lungen. Tief in den Eichen auf der anderen Straßenseite stießen unsichtbare Baumfrösche ihre schnarrenden Rufe aus. Wir warfen unsere Räder auf den Boden und setzten uns auf einen Holzzaun an der Straße. Trevor zündete sich eine Zigarette an, nahm einen Zug, die Augen geschlossen, streckte mir dann die rubinrote Spitze hin. Ich zog, aber musste husten, mein Speichel war dickflüssig vom Radfahren. Der Rauch wärmte meine Lunge, und meine Augen blieben an einer Handvoll Villen in dem kleinen Tal vor uns hängen.

»Angeblich wohnt ja Ray Allen hier oben«, sagte Trevor.

»Der Basketballspieler, stimmt's?«

»Er hat für UConn gespielt – wahrscheinlich gehören dem *zwei* Buden hier.«

»Vielleicht wohnt er in dem da«, sagte ich und zeigte mit der Zigarette auf das einzige verdunkelte Haus am Talrand. Das Haus war bis auf die weißen Zierleisten um die Kanten, wie das Skelett eines prähistorischen Geschöpfs, beinahe unsichtbar. Vielleicht ist Ray Allen nicht da, dachte ich, weil er in der NBA spielt und zu beschäftigt ist, um darin zu wohnen. Ich gab die Zigarette zurück.

»Wenn Ray Allen mein Dad wäre«, sagte er, den Blick immer noch auf das Knochenhaus gerichtet, »wäre das mein Haus, und du könntest immer kommen und da pennen.«

»Du hast doch schon einen Dad.«

Er schnippte die Kippe weg. Sie fiel auf die Straße und zerstob zu einer orangen Schnittwunde, brannte dann aus.

»Vergiss den Kerl, kleiner Mann«, Trevor sah mich an, sanft, »er ist es nicht wert.«

»Was wert?«

»Angepisst zu sein, Mann. Ah – Volltreffer!« Er nahm ein Mini-Snickers aus seiner Manteltasche. »Muss seit Halloween da drin sein.«

»Wer hat gesagt, dass ich's bin?«

»Er spinnt halt einfach, weißt du?« Er deutete mit dem Snickers auf seinen Kopf. »Der Alk frisst ihn auf.«

»Ja. Sieht so aus.« Die Baumfrösche schienen weiter entfernt, kleiner.

Eine Art Stille schärfte sich zwischen uns.

»Ey, spiel nicht die Scheißschweigekarte, Mann. Das ist 'n Schwuchtel-Move. Ich meine –« Ein frustrierter Seufzer entfuhr ihm. Er biss in das Snickers. »Willst du's halbe?«

Zur Antwort öffnete ich meinen Mund. Er legte den daumengroßen Bissen auf meine Zunge, wischte sich mit dem Handgelenk über die Lippen und sah weg.

»Lass uns hier abhauen«, sagte ich kauend.

Er wollte noch etwas anderes sagen, seine Zähne glichen grauen Pastillen im Mondlicht; dann stand er auf und stolperte auf sein Rad zu. Ich hob mein eigenes auf, der Stahl bereits taunass, und da sah ich es. Eigentlich sah Trevor es zuerst und er zog beinahe unmerklich die Luft ein. Ich drehte mich um, und wir standen beide, gegen unsere Räder gelehnt, einfach nur da.

Es war Hartford. Ein Lichterschwarm von einer solchen pulsierenden Intensität, wie ich sie dort nie vermutet hätte. Trevors Atemzüge erschienen mir damals so greifbar – wie ich mir vorstellte, dass der Sauerstoff sich in seiner Kehle, seiner Lunge, den Bronchien und Blutgefäßen ausdehnte, wie er all diese Winkel durchströmte, die ich nie sehen würde – vielleicht lag es daran, dass ich ständig zu dieser grundlegendsten aller Messungen des Lebens zurückkehre, auch lange nachdem er nicht mehr da war.

Aber in diesem Moment ist die Stadt vor uns ein einziges Glitzern, eigenartig und selten – als wäre es gar keine Stadt, sondern ein Funkenregen, der dort niedergegangen war, weil ein Gott über uns seine Waffen wetzte.

»Fuck«, flüsterte Trevor. Er steckte die Hände in die Hosentaschen und spuckte auf den Boden.

»Fuck.«

Die Stadt pulsierte, schimmerte. Dann, in dem Versuch, sich wieder einzukriegen, sagte er: »Scheiß auf Coca-Cola.«

»Ja, Sprite über alles, Wichser«, fügte ich hinzu, weil ich damals noch nicht wusste, was ich jetzt weiß: dass Coca-Cola und Sprite von derselben beschissenen Firma hergestellt wurden. Dass es, egal wer du bist oder was du liebst oder wo du stehst, am Ende immer Coca-Cola war.

TREVOR ROSTIGER PICK-UP und kein Führerschein.

Trevor sechzehn; Bluejeans voll mit Rehblut.

Trevor zu schnell und nicht genug.

Trevor schwenkt sein John-Deere-Cap von der Einfahrt, wenn du auf deinem quietschenden Schwinn vorbeifährst.

Trevor, der ein Mädchen aus der Neunten gefingert und dann ihre Unterwäsche in den See geschmissen hat, weil *ist doch witzig.*

Weil der Sommer. Weil deine Hände

nass waren und Trevors Name wie ein aufheulender Motor in der Nacht. Der sich hinausschlich, um sich mit einem Jungen wie dir zu treffen. Gelb und kaum da. Trevor mit achtzig Sachen im Weizenfeld seines Alten. Der all seine Fritten in einen Whopper stopft und mit beiden Füßen auf dem Gaspedal kaut. Deine Augen geschlossen auf dem Beifahrersitz, der Weizen gelbes Konfetti.

Drei Sommersprossen auf seiner Nase.

Drei Punkte nach einem Jungen-Satz.

Trevor Burger King über McDonald's, weil der Rauchgeruch am Rindfleisch es *echt macht*.

Trevor Hasenzahn auf dem Inhaler klickend, als er saugte, die Augen geschlossen.

Trevor *Ich mag am liebsten Sonnenblumen. Sie werden so hoch.*

Trevor mit der Narbe wie ein Komma an seinem Hals, Syntax von was jetzt was jetzt was jetzt.

Stell dir vor, du wirst so hoch und öffnest dich trotzdem so groß.

Trevor, der die Schrotflinte mit zwei roten Patronen auf einmal lädt.

Es ist glaub ich so was wie mutig sein. Du hast irgendwie so diesen beknackten Riesenschädel voller Samen und keine Arme, um dich zu verteidigen.

Seine harten schlanken Arme, in den Regen gerichtet.

Er berührt die schwarze Zunge des Abzugs, und du schwörst, du schmeckst seinen Finger in deinem Mund

als er abdrückt. Trevor, wie er auf den Spatz mit einem Flügel zeigt, der sich im schwarzen Schmutz herumwirft, und ihn

für etwas Neues hält. Etwas glutvoll Schwelendes wie ein Wort. Wie ein Trevor der um drei Uhr früh an dein Fenster klopfte, und du dachtest, er lächelt, bis du die Klinge über seinem Mund gesehen hast. *Das hab ich gemacht, das hab ich für dich gemacht,* sagte er, das Messer plötzlich in deiner Hand. Trevor später

auf deiner Vordertreppe in der grauen Dämmerung. Sein Gesicht in seinen Armen. *Ich will nicht,* sagte er. Sein Keuchen. Sein bebendes Haar. Der verschwommene Fleck davon.

Bitte sag mir, ich bin nicht, sagte er durch das Geräusch seiner Knöchel, als er sie ploppen lässt wie das Wort *Doch Doch Doch.* Und du trittst einen Schritt zurück. *Bitte sag mir, ich bin nicht,* sagte er, *ich bin nicht*

schwul. Bin ich? Bin ich? Bist du's?

Trevor der Jäger. Trevor der Fleischfresser, der Redneck, keine

Schwuchtel, Schrotflintenschütze, Scharfschütze, keine Tunte oder Tucke. Trevor Fleischesser, aber nicht

Kalb. *Niemals Kalbfleisch. Scheiße, nie wieder,* nachdem sein Alter ihm die Geschichte erzählt hatte, als er sieben war, bei Tisch, Kalbsbraten mit Rosmarin. Wie sie gemacht wurden. Wie der Unterschied zwischen Kalb und Rind die Kinder sind. Kalb sind die Kinder

von Kühen, sind Kälber. Sie werden in Kisten gesperrt, so groß wie sie selbst. Eine Körper-Kiste wie ein Sarg, aber lebend, wie ein Zuhause. Die Kinder, die Kälber, sie stehen ganz still, weil Zartheit davon abhängt, wie wenig die Welt dich berührt. Um zart zu bleiben, darf das Gewicht deines Lebens sich nicht auf deine Knochen stützen.

Wir essen sehr gern, was weich ist, sagte sein Vater und sah tod

-ernst in Trevors Augen. Trevor, der nie ein Kind essen würde. Trevor das Kind mit der Narbe am Hals wie ein Komma. Ein Komma, auf das du jetzt

deinen Mund legst. Dieser violette Haken, an dem zwei vollständige Gedanken hängen, zwei vollständige Körper ohne Satzgegenstand. Nur Verben. Wenn du *Trevor* sagst, meinst du Handlung, den kiefernharzverklebten Daumen auf dem Bic-Feuerzeug, das Geräusch seiner Stiefel

auf der sonnengebleichten Haube des Chevy. Das nasse lebendige Etwas, auf die Ladefläche hinter ihm geschleift.

Dein Trevor, dein brünetter *Mann,* dessen Arme aber blondbestäubt sind, der dich in den Pick-up zieht. Wenn du *Trevor* sagst, meinst du, dass du der Gejagte bist, ein Schmerz, den er nicht verweigern kann, weil *das ist schon was, Baby. Das ist echt.*

Und du wolltest echt sein, davon verschluckt werden, was dich ertränkt, nur um aufzutauchen, randvoll bis zum Mund. Was Küssen ist.

Was nichts ist

wenn du vergisst.

Mit seiner Zunge in deinem Hals spricht Trevor für dich. Er spricht, und du wirst dunkel, eine Taschenlampe, die in seinen Händen erlischt, worauf er dir gegen den Kopf schlägt, damit es hell bleibt. Er richtet dich hierhin und dorthin, um seinen Weg zu finden durch die dunklen Wälder.

Die dunklen Wörter –

die Grenzen haben wie Körper. Wie das Kalb

in seinem Sarghaus wartet. Kein Fenster – nur ein Sauerstoff-schlitz. Rosa Nase an die Herbstnacht gedrückt, schnuppernd. Der verblichene Gestank von gemähtem Gras, die geteerte Schotterstraße, raue Süße von Laub in einem Lagerfeuer, die Minuten, die Entfernung, der erdige Dung seiner Mutter ein Feld weiter.

Klee. Sassafras. Douglasie. Gagelstrauch.

Der Junge. Das Motoröl. Der Körper, er füllt sich. Und dein Durst überflutet, was ihn trägt. Und dein Untergang, du dach-test, es würde ihn nähren. Dass er davon schlemmen und ein Tier werden würde, in dem du dich verstecken könntest.

Aber jede Kiste wird mit der Zeit, in der Sprache geöffnet. Die Zeile gebrochen,

wie Trevor, der dir zu lang ins Gesicht starrte und sagte: *Wo bin ich? Wo bin ich?*

Weil da schon Blut in deinem Mund war.

Da war der Pick-up schon gegen die staubige Eiche geprallt, Totalschaden und Rauch von der Haube. Trevor, Wodka atmend und totenkopfdürr, sagte: *Es fühlt sich gut an.* Sagte: *Geh nicht weg*

als die Sonne zwischen die Bäume glitt. *Fühlt sich das nicht gut an?* als die Fenster sich rot färbten, wie wenn jemand durch geschlossene Augen zu sehen versucht.

Trevor, der dir nach zwei Monaten Schweigen eine Nachricht schickte –

please ausschrieb statt *plz.*

Trevor, der von zu Hause, seinem irren Alten wegrannte. *Der sich hier verpisste.* Klamme Levi's. Der in den Park wegrannte, weil wohin sonst, wenn du sechzehn bist.

Den du im Regen fandest, unter der Nilpferdrutsche aus Metall. Dem du die eisigen Stiefel auszogst und jeden schmutzkalten Zeh einzeln mit deinem Mund bedecktest. So wie deine Mutter früher, wenn du als Kind gebibbert hast.

Weil er bibberte. Dein Trevor. Dein all-American Rind, aber kein Kalb. Dein John Deere. Jadeader in seinem Kiefer: erloschener Blitz, und du folgst seiner Spur mit den Zähnen.

Weil er wie der Fluss schmeckte und du vielleicht eine Armlänge vor dem Untergehen warst.

Weil das Kalb in seinem Käfig so ruhig wartet

um Kalbfleisch zu werden.

Weil du dich erinnert hast

und Erinnerung noch eine Chance ist.

Ihr beide, wie ihr da unter der Rutsche liegt: zwei Kommas, endlich ohne Worte, die zwischen euch stehen.

Du, der du aus dem Wrack des Sommers gekrochen bist, so wie Söhne aus dem Leib ihrer Mutter kommen.

Ein Kalb in einer Kiste, es wartet. Eine Kiste, enger als ein Schoß. Der Regen, der herabkommt, er hämmert auf Metall wie ein aufheulender Motor. Die Nacht steht in der violetten Luft, und ein Kalb

rutscht darin herum, die Hufen weich wie Radiergummi, die Glocke um seinen Nacken läutet

und läutet. Der Schatten eines Mannes, der zu ihm heran-wächst. Der Mann mit seinen Schlüsseln, den Kommas der Türen. Dein Kopf auf Trevors Brust. Das Kalb, an einem Strick geführt, wie es stehen bleibt

und schnuppert, Nase pocht vor schwindelndem Sassafras. Trevor schlafend

neben dir. Ruhige Atemzüge. Regen. Wärme strömt durch sein Holzfällerhemd wie Dampf, der von den Flanken des Kalbs aufsteigt, während du auf die Glocke lauschst

über das sternendurchflutete Feld hinweg, der Klang spiegel-
glatt

wie ein Messer. Der Klang, der tief vergraben ist in Trevors
Brust, und du lauschst.

Das Läuten. Du lauschst wie ein Tier

das sprechen lernt.

CH SITZE IM Zug aus New York. Im Fenster lässt mein Gesicht mich nicht los, es schwebt über windgepeitschten Städten, während der Amtrak an Grundstücken voller Karosseriegerippe und rostdurchlöcherten Traktoren vorbeifegt, an Hinterhöfen und ihren wiederkehrenden Stößen von verrottetem Feuerholz, deren ölige, breiig gewordene Haufen sich durch das Maschendrahtgewirr der Zäune gedrückt haben und dann verhärtet sind. Vorbei an Lagerhaus um Lagerhaus, mit Graffiti vollgesprüht, dann weiß gestrichen, dann wieder vollgesprüht, die Fenster vor so langer Zeit eingeschlagen, dass keine Scherben mehr auf dem Boden davor liegen; Fenster, in die man hineinsehen und jenseits der leeren Stille im Inneren einen flüchtigen Blick auf den Himmel erhaschen kann, wo früher einmal eine Wand gewesen war. Und dort, gleich hinter Bridgeport, steht mitten auf einem Parkplatz, so groß wie zwei Footballfelder, das eine mit Brettern vernagelte Haus, und die gelben Linien laufen direkt auf die ramponierte Veranda zu.

Der Zug pflügt an ihnen vorbei, all jenen Städten, die ich nur durch das kenne, was aus ihnen fortgegangen ist, einschließlich mir selbst. Am hellsten im Dunst des Nachmittags ist das Licht auf dem Connecticut River. Ich bin in diesem Zug, weil ich nach Hartford zurückkehre.

Ich hole mein Handy heraus. Und eine Flut von Nachrichten schwappt über den Bildschirm, genau wie ich erwartet hatte.

hast du das mit trev gehört?

check fb

es geht um Trevor geh ran

Es tut mir so leid das ist echt beschissen

scheiße si furchtbr ruf an wenn du willst

habs grad gesehn. o man

ich ruf ashley an um sicherzugehen

wollte nur wissen ob du ok bist

totenwache ist am sonntag

jetzt trev? ich wusste es

Grundlos texte ich ihm: *Trevor es tut mir leid komm zurück,* dann schalte ich das Handy ab, aus Furcht, er könnte antworten.

ES IST SCHON dunkel, als ich an Hartfords Union Station ankomme. Ich stehe auf dem glitschigen Parkplatz, während Menschen durch den Nieselregen zu wartenden Taxis hasten. Es ist fünf Jahre und drei Monate her, seit Trevor und ich uns zum ersten Mal getroffen haben, seit der Scheune, dem Patriots-Spiel durch das Rauschen des Radios, dem Stahlhelm auf dem staubigen Boden. Allein unter einem Vordach warte ich auf den Bus, der mich über den Fluss, in die Stadt bringen wird, die alles von Trevor enthält außer Trevor selbst.

Ich hatte niemandem gesagt, dass ich kommen würde. Ich saß in dem Seminar über italoamerikanische Literatur in einem City College in Brooklyn, als ich auf meinem Handy ein Update von Trevors Facebook-Account sah, das sein Alter gepostet hatte. Trevor war in der Nacht zuvor verschieden. *Mein Herz ist entzweigebrochen,* stand in der Nachricht.

Ich nahm meine Tasche und verließ die Vorlesung. Die Professorin, die gerade eine Passage aus Pietro di Donatos *Christ in Concrete* erörterte, hielt inne, sah mich an, erwartete eine Erklärung. Als keine kam, fuhr sie fort, und ihre Stimme hallte hinter mir her, als ich aus dem Gebäude flüchtete. Ich lief auf der East Side den ganzen Weg nach Uptown, folgte der Linie 6 zur Grand Central.

DURCH DIE BELEUCHTUNG im Bus fühlt es sich an, als gleite man in einer Zahnarztpraxis durch die nassen Straßen. Eine Frau hinter mir hustet sporadisch zwischen Tiraden von haitianisch gefärbtem Französisch. Neben ihr ist ein Mann – Ehemann, Bruder? –, der bis auf das gelegentliche »Mmh-mmh« oder »*Bien, bien*« kaum etwas sagt. Auf dem Highway wischen die Oktoberbäume vorbei, Äste streifen durch den violetten Himmel. Dazwischen hängen die Laternenpfähle lautloser Städte im Nebel. Wir überqueren eine Brücke, und eine Tankstelle am Straßenrand hinterlässt ein Neonpochen in meinem Kopf.

Als es im Bus wieder dunkel wird, blicke ich in meinen Schoß und höre seine Stimme. *Du solltest bleiben.* Ich blicke auf und sehe den Bezug, der sich von der Sitzfläche seines Pick-ups schält, den gelben Schaumstoff, der aus dem Riss quillt, und ich bin wieder auf dem Beifahrersitz, an dem Abend, als ich ihn das letzte Mal sah. Es ist Mitte August, und wir parken draußen vor dem Town Line Diner in Wethersfield. Die Luft um uns dunkelrot; oder vielleicht kommen mir nur alle Abende, verwandelt von meiner Erinnerung an ihn, so vor. Blutgetränkt.

»Du solltest bleiben«, sagt er und starrt auf den Parkplatz hinaus, das Gesicht mit Motoröl verschmiert von seiner Schicht an der Pennzoil in Hebron. Aber wir wissen beide, dass ich weggehe. Ich gehe nach New York, aufs College. Deswegen hatten wir uns getroffen – um auf Wiedersehen zu sagen oder vielmehr einfach beieinander zu sein, ein Abschied von Anwesenheit, von Nähe, wie Männer es machen sollten.

Wir wollten zum Diner, um Waffeln zu essen, »wie in alten Zeiten«, sagte er, aber als wir dort ankommen, rührt sich keiner von uns. Im Inneren des Diners sitzt ein LKW-Fahrer allein vor einem Teller Eier. Auf der anderen Seite steckt ein Paar mittleren Alters in einer Sitzecke zusammen, sie lachen, reden mit den Händen über ihren überdimensionalen Sandwiches. Eine einzelne Kellnerin drückt sich zwischen den zwei Tischen herum. Als der Regen einsetzt, lässt das Glas sie zerlaufen, nur ihre Umrisse, Farben bleiben, wie in einem impressionistischen Bild.

»Hab keine Angst«, sagt seine Stimme. Er starrt das Glimmen der Menschen im Diner an. Die Zärtlichkeit in seiner Stimme fesselt mich an den Sitz, die ausgewaschene Stadt. »Du bist clever«, sagt er. »Du wirst New York rocken.« Seine Stimme klingt unvollständig. Und in dem Moment begreife ich, dass er high ist. In dem Moment sehe ich die Blutergüsse an seinen Oberarmen, die Venen hervortretend und geschwärzt, wo die Nadeln gewühlt haben.

»Okay«, sage ich, als die Kellnerin aufsteht, um den Kaffee für den Fernfahrer aufzuwärmen. »Okay, Trevor«, als stimmte ich einem Auftrag zu.

»Sie sind scheißalt und versuchen's immer noch.« Er lacht fast.

»Wer?« Ich drehe mich zu ihm.

»Das Ehepaar da. Die versuchen immer noch, glücklich zu sein.« Er spricht schleppend, Augen grau wie Spülwasser. »Es schifft richtig, und sie so raus, um matschige Reuben-Sandwiches zu essen, wollen's noch mal bringen.« Er spuckt in die leere Tasse und stößt ein kurzes, erschöpftes Kichern aus. »Ich wette, dass sie seit einer Ewigkeit immer das gleiche Sandwich essen.«

Ich lächle ohne Grund.

Er sinkt in den Sitz zurück, lässt den Kopf auf eine Seite rollen und versucht ein zaghaftes Anmachgrinsen. Er beginnt an dem Gürtel über seiner Levi's zu nesteln.

»Komm schon, Trev. Du bist doch drauf. Lieber nicht, okay?«

»Ich hab's immer gehasst, wenn du mich Trev nennst.« Seine Hände fallen herab, sie liegen in seinem Schoß wie ausgegrabene Wurzeln. »Du glaubst, ich bin total kaputt?«

»Nein«, murmele ich und wende mich ab. Ich drücke meine Stirn gegen das Fenster, wo mein Spiegelbild über dem Parkplatz schwebt und der Regen hindurchfällt. »Ich glaube, du bist einfach du.«

Ich wusste nicht, dass ich ihn da zum letzten Mal sah, seine Halsnarbe blau beleuchtet vom Neonvordach des Diners. Dieses kleine Komma wiederzusehen, meinen Mund daraufzulegen, meinen Schatten die Narbe weiten zu lassen, bis endlich überhaupt keine Narbe mehr zu sehen wäre, nur eine gewaltige und gerechte, von meinen Lippen versiegelte Dunkelheit. Ein Komma, überlagert von einem Punkt, den der Mund so mühelos formt. Ist das nicht das Allertraurigste auf der Welt, Ma? Ein Komma, das gezwungen wird, ein Punkt zu sein?

»Hallo«, sagt er, ohne den Kopf zu drehen. Noch relativ am Anfang hatten wir beschlossen, weil unsere Freunde bereits an Überdosen starben, uns niemals Lebwohl oder gute Nacht zu sagen.

»Hallo, Trev«, sage ich in meinen Handrücken, behalte es drinnen. Der Motor rumpelt, stottert auf, hinter mir hustet die Frau. Ich bin wieder im Bus und starre auf den blauen Mesh-Sitz vor mir.

ICH STEIGE AN der Main Street aus und schlage sofort die Richtung zu Trevors Haus ein. Ich laufe, als verspätete ich mich bei mir selbst, als müsste ich aufholen. Doch Trevor ist kein Ziel mehr.

Zu spät die Erkenntnis, dass es keinen Sinn hat, unangekündigt im Haus eines toten Jungen aufzukreuzen, nur um von seinem vor Trauer durchgedrehten Vater empfangen zu werden. Ich gehe weiter. Ich erreiche die Ecke Harris und Magnolia, an der ich aus Gewohnheit oder Besessenheit in den Park abbiege, die drei Baseballfelder überquere, wo die feuchte, frische Erde unter meinen Stiefeln ansteigt. Regen in meinem Haar, an meinem Gesicht hinab, in den Hemdkragen. Ich haste zu der Straße auf der anderen Parkseite, folge ihr bis zu der Sackgasse, in der das Haus steht, so grau, dass der Regen es sich beinahe einverleibt hat, die Kanten von der Witterung abgeschliffen.

Auf den Vorderstufen ziehe ich die Schlüssel aus meiner Tasche und stoße die Tür auf. Es ist beinahe Mitternacht. Das Haus hüllt mich in Wärme ein, vermischt mit dem süßen Moschus alter Kleidung. Alles still. Der Fernseher im Wohnzimmer summt lautlos, sein Blau ergießt sich über die leere Couch, eine halb gegessene Erdnusstüte auf dem Polster. Ich schalte den Fernseher aus, gehe die Treppe hinauf, dann zu dem Zimmer. Durch den Türspalt schimmert ein Muschel-Nachtlicht. Ich drücke die Tür auf. Du liegst nicht auf dem Bett, sondern auf dem Fußboden, auf einer Matte aus gefalteten Decken. Von deiner Arbeit im Nagelstudio hast du so schlimme Verspannungen im Rücken, dass das Bett zu weich geworden ist, um deine Gelenke im Schlaf zu stützen.

Ich krieche auf die Matte neben dich. Regen, der sich in meinen Haaren gesammelt hat, tropft herab und kleckst auf deine weißen Laken. Ich lege mich hin, mit dem Gesicht zum Bett, mein Rücken an deinem. Du schreckst hoch.

»Was? Was machst du da? Gott, bist du nass … deine Sachen, Little Dog … was? Was ist los?« Du setzt dich auf, ziehst mein Gesicht zu dir heran. »Was ist passiert?« Ich schüttle den Kopf, lächle dümmlich. Du suchst mich nach Antworten ab, nach Schnittwunden, tastest meine Taschen ab, unter meinem Hemd.

Langsam legst du dich wieder auf deine Seite hin. Der Raum zwischen uns dünn und kalt wie eine Fensterscheibe. Ich drehe mich weg – obwohl ich nichts lieber will, als dir alles zu erzählen.

Es ist in solchen Momenten, neben dir, dass ich Worte darum beneide, was wir niemals können – wie sie alles über sich selbst sagen können, indem sie einfach still dastehen, einfach *sind*. Stell dir vor, ich könnte mich neben dich legen, und mein ganzer Körper, jede Zelle, würde eine einzigartig klare Bedeutung ausstrahlen; weniger ein Schriftsteller als ein Wort, das neben dich hingedrückt wird.

Es gibt ein Wort, von dem mir Trevor einmal erzählt hat. Er hatte es von Buford, der während des Koreakriegs bei der Navy auf Hawaii gedient hatte: *kipuka*. Das Stückchen Land, das unversehrt bleibt, wenn sich ein Lavastrom einen Berghang hinabwälzt – eine Insel, die dadurch entstand, dass etwas die kleinste Apokalypse überlebt. Bevor die Lava herabkam und das Moos am Hang versengte, war dieses Stück Land bedeutungslos, nur ein weiterer Streifen in einer endlosen Masse Grün. Nur indem es fortbesteht, verdient es sich seinen Namen. Als ich mit dir auf der Matte liege, wünsche ich mir nur, dass wir unser eigenes *kipuka*, unser eigenes Danach, sichtbar wären. Aber ich weiß es besser.

Du legst eine klebrige Hand auf meinen Nacken: Lavendellotion. Regen trommelt auf den Regenrinnen ums Haus. »Was ist, Little Dog? Du kannst es mir sagen. Komm, du machst mir Angst.«

»Ich hasse ihn, Ma«, flüstere ich auf Englisch, weil ich weiß, dass die Worte dich von mir wegschließen. »Ich hasse ihn. Ich hasse ihn.« Und ich fange an zu weinen.

»Bitte, ich weiß nicht, was du sagst. Was ist das?«

Ich strecke meine Hand zurück, umklammere zwei deiner Finger und wende mein Gesicht zur dunklen Lücke unter dem Bett. Am anderen Ende, dicht vor der Wand, zu weit weg, als dass irgendjemand herankommen könnte, liegt neben einer leeren Wasserflasche, zerdrückt und staubbedeckt, eine einzelne Socke. Hallo.

M_A –

Lass mich von vorn anfangen.

Ich schreibe, weil es spät ist.

Weil es 21:52 Uhr an einem Dienstag ist und du gerade auf dem Heimweg von der Spätschicht sein musst.

Ich bin nicht bei dir, weil ich mich im Krieg befinde. Anders ausgedrückt, es ist schon Februar, und der Präsident will meine Freunde abschieben. Es ist schwer zu erklären.

Zum ersten Mal seit langem versuche ich, an den Himmel zu glauben, einen Ort, an dem wir zusammen sein können, wenn das alles hier ~~verfliegt~~ in die Luft fliegt.

Man sagt, jede Schneeflocke sei anders – doch der Schneesturm, er hüllt uns trotzdem ein. Ein Freund aus Norwegen hat mir von einem Maler erzählt, der auf der Suche nach dem richtigen Grünton in einen Sturm hinausging und nie wieder zurückkehrte.

Ich schreibe dir, weil ich nicht derjenige bin, der geht, sondern jener, der mit leeren Händen wiederkommt.

DU HAST MICH einmal gefragt, was es bedeutet, Schriftsteller zu sein. Dann mal los.

Sieben meiner Freunde sind gestorben. Vier an einer Überdosis. Fünf, wenn man Xavier mitzählt, der sich auf einer unreinen Charge Fentanyl mit 140 Sachen in seinem Nissan überschlug.

Ich feiere meinen Geburtstag nicht mehr.

Nimm mit mir einen Umweg nach Hause. Bieg links ab in die Walnut, und du siehst das Boston Market, wo ich mit siebzehn ein Jahr lang gearbeitet habe (nach der Tabakfarm). Wo uns der evangelikale Chef – in seinen riesigen Nasenporen blieben immer Kekskrümel vom Mittagessen hängen – nie erlaubte, Pause zu machen. Hungrig bei einer Sieben-Stunden-Schicht, schloss ich mich in der Besenkammer ein und stopfte mir Maisbrot in den Mund, das ich in meiner schwarzen Einheitsschürze stibitzt hatte.

Trevor wurde Oxycontin verschrieben, nachdem er sich bei Dirtbike-Sprüngen in den Wäldern den Knöchel gebrochen hatte, ein Jahr bevor ich ihn kennenlernte. Er war fünfzehn.

Oxycontin, serienmäßig zuerst von Purdue Pharma im Jahr 1996 hergestellt, ist ein Opioid, was es im Grunde zu Heroin in Tablettenform macht.

Ich wollte nie einen »Textkörper« erschaffen, sondern sie, unsere Körper, atmend und verschollen, im Text bewahren.

Nehmen oder sein lassen. Den Körper, meine ich.

Bieg links in die Harris Street ab, wo von dem Haus, das in jenem Sommer bei einem Gewitter abbrannte, nichts geblieben ist als ein mit Maschendraht eingezäuntes Stück Erde.

Die wahrhaftigsten Ruinen werden nicht aufgeschrieben. Das Mädchen, das Grandma damals in Go Công kannte – das mit den Sandalen, die man aus den Reifen eines ausgebrannten Armeejeeps geschnitten hatte, und das drei Wochen vor Kriegsende durch einen Luftangriff ausradiert worden war –, sie ist eine Ruine, auf die niemand zeigen kann. Eine Ruine ohne Ort, wie eine Sprache.

Nach einem Monat auf Oxy war sein Knöchel verheilt, aber Trevor komplett süchtig.

IN EINER WELT, so mannigfach wie der unseren, ist der Blick ein einzigartiger Akt: Etwas anzusehen heißt, dein ganzes Leben, wenn auch nur kurz, damit auszufüllen. Einmal, nach meinem vierzehnten Geburtstag, kauerte ich zwischen den Sitzen eines verlassenen Schulbusses im Wald und füllte mein Leben mit einer Line Kokain. Ein weißer Buchstabe »I« leuchtete auf dem abblätternden Sitzleder. In mir wurde das »I« ein Springmesser – und etwas riss. Mein Magen drückte hoch, aber es war zu spät. Es dauerte nur Augenblicke, und ich wurde mehr zu mir selbst. Das heißt, dass die monströse Seite von mir so groß, so vertraut wurde, dass ich sie wollen konnte. Dass ich sie küssen konnte.

Die Wahrheit ist, keiner von uns ist genug genug. Aber das weißt du schon.

Die Wahrheit ist, dass ich hergekommen bin, weil ich gehofft hatte, es gebe einen Grund zu bleiben.

Manchmal sind diese Gründe belanglos: zum Beispiel wie du Spaghetti als »Bagheddi« aussprichst.

Die Jahreszeit ist fast vorbei – das bedeutet, dass die Schneerosen, die vor der Nationalbank in voller Blüte stehen, Abschiedsbriefe von Selbstmördern sind.

Schreib das auf.

Man sagt, nichts hält ewig, dabei hat man nur Angst, dass es länger hält, als man es lieben kann.

Bist du da? Bist du noch unterwegs?

Man sagt, nichts hält ewig, und ich schreibe dir mit der Stimme einer vom Aussterben bedrohten Art.

Die Wahrheit ist, dass ich mir Sorgen mache, sie könnten uns fassen, bevor sie *uns fassen*.

Sag mir, wo es wehtut. Du hast mein Wort.

DAMALS IN HARTFORD bin ich oft nachts allein in den Straßen herumgewandert. Schlaflos zog ich mich an, kletterte aus dem Fenster – und lief einfach los.

In manchen Nächten hörte ich ein Tier ungesehen hinter Müllsäcken herumrascheln oder den Wind unerwartet stark über mir, ein Brausen herabtickender Blätter, die schabenden Äste eines Ahorns außer Sichtweite. Aber meistens waren da nur meine Schritte auf dem Asphalt, der von frischem Regen dampfte, der Duft jahrzehntealten Teers oder die Erde auf einem Baseballfeld unter einer Handvoll Sterne, das leise Streichen von Gras an den Sohlen meiner Vans auf dem Mittelstreifen einer Hauptstraße.

Aber eines Nachts hörte ich etwas anderes.

Durch das lichtlose Fenster einer Erdgeschosswohnung, die Stimme eines Arabisch sprechenden Mannes. Ich verstand das Wort *Allah*. Dass er betete, erkannte ich an dem Ton, in dem er es hob, als wäre die Zunge der kleinste Arm, von dem ein Wort wie dieses dargeboten werden konnte. Ich stellte mir vor, wie es über seinen Kopf schwebte, als ich dort auf dem Bordstein saß und auf das leise Klirren wartete, das kommen musste. Ich wollte, dass das Wort herabfiel, wie eine Schraube aus dem Balken einer Guillotine, aber es fiel nicht. Seine Stimme, sie stieg immer höher hinauf, und meine Hände, sie wurden mit jeder Variation des Tonfalls rosiger. Ich beobachtete, wie sich meine Haut entflammte, bis ich schließlich aufsah – und es dämmerte. Es war vorbei. Ich erglühte im Blut des Lichts.

Ṣalāt al-fadschr: ein Gebet vor Sonnenaufgang. »Wer auch immer das Fadschr-Gebet in der Gemeinschaft betet«, sprach der Prophet Mohammed, »so ist es, als hätte er die ganze Nacht gebetet.«

Ich möchte gern glauben, dass ich bete, als ich durch diese ziellosen Nächte streifte. Wofür, das weiß ich immer noch nicht genau. Aber ich hatte stets das Gefühl, dass es direkt vor mir liegt. Dass ich es, wenn ich nur weit genug, lang genug ginge, finden würde – es vielleicht sogar hochhalten, wie eine Zunge am Ende des Wortes.

EINSCHLIESSLICH SEINER NACHAHMERPRODUKTE wurde Oxycontin, das ursprünglich als Schmerzmittel für Krebspatienten in Chemotherapie entwickelt worden war, bald bei allen möglichen körperlichen Beschwerden verschrieben: Arthritis, Muskelkrämpfe und Migräne.

Trevor stand auf *Die Verurteilten* und Süßes von Jolly Rancher, Call of Duty und seinen einäugigen Border Collie, Mandy. Trevor, der nach einem Asthmaanfall vornübergebeugt und keuchend hervorstieß: »Ich glaub, ich hab gerade einen unsichtbaren Schwanz gedeepthroatet«, und wir prusteten beide los, als ob nicht gerade Dezember wäre und wir auf dem Heimweg vom Spritzentausch unter einer Überführung warteten, dass der Regen nachließ. Trevor war ein Junge, der einen Namen hatte, der am Community College Physiotherapie studieren wollte. Trevor war allein in seinem Zimmer, als er umgeben von Led-Zeppelin-Postern starb. Trevor war zweiundzwanzig. Trevor war.

Die offizielle Todesursache, erfuhr ich später, war eine Überdosis mit Fentanyl gestrecktes Heroin.

BEI EINER SCHREIBTAGUNG hat mich ein weißer Mann einmal gefragt, ob Zerstörung notwendig für die Kunst sei. Seine Frage war ernst gemeint. Er lehnte sich vor, sein blauer Blick zuckend unter der mit *'Nam Vet 4 Life* goldbestickten Kappe, und der Sauerstoffbehälter, der mit seiner Nase verbunden war, zischte neben ihm. Ich sah ihn wie jeden weißen Veteranen aus diesem Krieg an, dachte daran, dass er mein Großvater sein könnte, und sagte Nein. »Nein, Sir, Zerstörung ist nicht notwendig für die Kunst.« Ich sagte das nicht, weil ich mir sicher war, sondern weil ich dachte, ich könnte, wenn ich es aussprach, selbst daran glauben.

Aber warum kann die Sprache für Kreativität nicht die Sprache der Erneuerung sein?

Dein Gedicht ist der Knaller, sagen wir. Du bist eine Kanone. Dein Romananfang feuert aus allen Rohren. Ich hämmere diesen Absatz hin, ich haue sie heraus, sagen wir. Ich hab den Workshop auseinandergenommen. Ich hab's denen gezeigt. Ich hab sie plattgemacht. Wir haben die Konkurrenz überrollt. Ich ringe mit der Muse. Der Bundesstaat, in dem Menschen leben, ist ein hart umkämpfter. Das Publikum ein Zielpublikum. »Respekt, Mann«, hat ein Mann auf einer Party einmal zu mir gesagt, »du machst eine Mordskohle mit Gedichten. Du haust sie um.«

EINES NACHMITTAGS, ALS wir mit Lan vor dem Fernseher saßen, sahen wir eine Herde Büffel im Gänsemarsch von einer
Klippe rennen, eine ganze dampfende Reihe von ihnen, die in
Technicolor den Berg herabdonnerten. »Warum sie selbst so
töten?«, fragte sie mit offenem Mund. Wie üblich dachte ich
mir kurzerhand etwas aus: »Das war keine Absicht, Grandma.
Sie folgen nur ihrer Familie. Sonst nichts. Sie wissen nicht,
dass es eine Klippe ist.«

»Na, dann bräuchten sie vielleicht ein Stoppschild.«

Wir hatten viele Stoppschilder in unserer Gegend. Sie waren
nicht immer dort gewesen. Es gab da eine Frau namens Marsha, die um die Ecke wohnte. Sie war übergewichtig und hatte
die Frisur einer Rancherwitwe, eine Art Vokuhila mit dichten
Ponyfransen. Sie hinkte auf ihrem schlechten Bein von Haus
zu Haus und sammelte Unterschriften für eine Petition, um
Stoppschilder in der Nachbarschaft aufzustellen. Sie habe
selbst zwei Jungen, erzählte sie einem an der Tür, und sie wolle, dass alle Kinder beim Spielen sicher seien.

Ihre Söhne waren Kevin und Kyle. Kevin, zwei Jahre älter als
ich, spritzte sich eine Überdosis Heroin. Fünf Jahre später
spritzte sich auch Kyle, der jüngere, tot. Danach zog Marsha
mit ihrer Schwester in eine Wohnwagensiedlung in Coventry.
Die Stoppschilder blieben.

Die Wahrheit ist, dass wir nicht sterben müssen, wenn wir
keine Lust dazu haben.

Nur Spaß.

ERINNERST DU DICH an den Morgen nach einer Schneenacht, als wir die Buchstaben *HOMO4LIFE* in roter Sprayfarbe quer über unsere Haustür geschmiert fanden?

In den Eiszapfen fing sich das Licht, und alles sah freundlich aus und so, als könnte es jeden Moment zerspringen.

»Was heißt das?«, hast du gefragt, ohne Mantel und zitternd. »Es heißt ›Frohe Weihnachten‹, Ma«, sagte ich und zeigte darauf. »Siehst du? Deshalb ist es rot. Für Glück.«

Man sagt, Sucht könne womöglich mit bipolarer Störung zusammenhängen. Es sind die Chemikalien in unserem Gehirn, sagt man. Ich habe die falschen Chemikalien, Ma. Oder genauer gesagt, ich habe nicht genug von der einen oder anderen. Sie haben eine Pille dafür. Sie haben eine Industrie. Sie machen Millionen. Wusstest du, dass Menschen an Traurigkeit reich werden? Ich will den Millionär der amerikanischen Traurigkeit treffen. Ich will ihm in die Augen sehen, seine Hand schütteln und sagen: »Es war mir eine Ehre, meinem Land zu dienen.«

Das Problem ist, ich will nicht, dass mir meine Traurigkeit genommen wird, ebenso wenig, wie ich will, dass mein Glück mir genommen wird. Sie gehören beide mir. Ich habe sie verdammt noch mal ins Leben gebracht. Was wäre, wenn die Hochstimmung, die ich verspüre, nicht eine weitere »bipolare Episode« ist, sondern etwas, für das ich hart gekämpft habe? Vielleicht hüpfe ich herum und küsse dich zu heftig auf den Hals, wenn ich beim Heimkommen höre, dass heute Pizza-Abend ist, weil Pizza-Abend manchmal mehr als genug ist, mein treuester, kläglicher Leitstern. Was, wenn ich hinauslaufe, weil der Mond heute Nacht bilderbuchgroß und *lächerlich* über den aufgereihten Kiefern steht, sein Anblick ein fremdartiges Medizingestirn?

Es ist, als ob alles, was du vor dir gesehen hast, eine Klippe gewesen wäre, und dann erscheint wie aus dem Nichts diese helle Brücke, und du läufst schnell hinüber, in dem Wissen, dass es auf der anderen Seite früher oder später noch eine Klippe geben wird. Was wäre, wenn meine Traurigkeit in Wahrheit mein unerbittlichster Lehrer ist?

Es habe einen Krieg gegeben, sagte der Mann im Fernsehen, aber jetzt sei er »reduziert«.

Juhu, denke ich und schlucke meine Pillen.

DIE WAHRHEIT IST, dass mein Leichtsinn körperbreit ist.

Einmal, der Knöchel eines blonden Jungen unter Wasser.

In dieser Zeile war ein grünliches Licht, und du hast es gesehen.

Die Wahrheit ist, dass wir unser Leben überleben können, nicht aber unsere Haut. Aber das weißt du schon.

Ich habe nie Heroin gespritzt, weil ich Schiss vor Nadeln habe. Als ich sein Angebot ablehnte, zu drücken, deutete Trevor, während er mit den Zähnen das Ladekabel um seinen Arm straff zog, mit dem Kopf auf meine Füße. »Sieht aus, als hättest du deinen Tampon verloren.« Dann blinzelte er, lächelte – und dämmerte wieder in den Traum hinüber, den er aus sich selbst schuf.

Mithilfe einer millionenschweren Werbekampagne verkaufte Purdue Ärzten Oxycontin als sicheres, »missbrauchssicheres« Mittel zur Schmerzlinderung. Das Unternehmen behauptete außerdem, dass weniger als ein Prozent der Patienten abhängig würde, was eine Lüge war. Bis 2002 stiegen Oxycontin-Verschreibungen für nicht durch Krebs verursachte Schmerzen um beinahe das Zehnfache an, wodurch der Gesamtumsatz auf über drei Milliarden Dollar anstieg.

Was wäre, wenn Kunst nicht nach Quantität, sondern in Querschlägen gemessen würde? Was wäre, wenn Kunst nicht gemessen würde?

Das einzig Gute an Nationalhymnen ist, dass wir schon auf den Beinen sind und somit bereit, loszurennen.

Die Wahrheit ist eine Nation unter Drogen, unter Drohnen.

Das erste Mal, als ich einen nackten Mann sah, wirkte er ewig.

Es war mein Vater, der sich nach der Arbeit auszog. Ich versuche, mit der Erinnerung abzuschließen. Aber das Problem mit dem Ewigsein ist, dass man es nicht zurücknehmen kann.

Lass mich bis zum Ende hierbleiben, sagte ich zum Herrn, und wir sind quitt.

Lass mich meinen Schatten an deine Füße binden und es Freundschaft nennen, sagte ich zu mir selbst.

ICH WURDE VOM Geräusch von Flügeln im Zimmer wach, als wäre eine Taube durch das offene Fenster hereingeflogen und flatterte nun wild gegen die Zimmerdecke. Ich machte das Licht an. Als sich meine Augen daran gewöhnten, sah ich Trevor der Länge nach auf dem Fußboden liegen, seine Turnschuhe traten gegen die Kommode, als sein Körper sich unter dem Anfall schüttelte. Wir waren in seinem Keller. Wir waren in einem Krieg. Ich hielt seinen Kopf, und während der Schaum von seinen Lippen meinen Arm hinabfloss, schrie ich nach seinem Alten. In dieser Nacht, im Krankenhaus, überlebte er. Es war bereits das zweite Mal.

Horrorgeschichte: Trevors Stimme zu hören, wenn ich vier Jahre nach seinem Tod eines Abends meine Augen schließe.

Er singt wieder »This Little Light of Mine«, so wie er es früher gesungen hat – unvermittelt in Pausen zwischen unseren Gesprächen, sein Arm aus dem Fenster des Chevy baumelnd, den Takt auf den verblichenen roten Lack klopfend. Ich liege in der Dunkelheit und forme mit den Lippen die Worte, bis er wieder erscheint – jung und warm und genug.

Der schwarze Zaunkönig heute Morgen auf meiner Fensterbank: eine verkohlte Birne.

Das hatte nichts zu bedeuten, aber du hast es jetzt.

Jetzt nach rechts, Ma. Da ist das Grundstück hinter dem Fallen- und Geräteschuppen, wo ich eines Sommers dabei zusah, wie Trevor einen Waschbären häutete, den er mit Bufords Smith & Wesson erledigt hatte. Er verzog das Gesicht, als er das Viech aus sich selbst herausschälte, seine Zähne grün von den Drogen, wie Glow-in-the-dark-Sterne bei Tageslicht. Auf der Ladefläche des Pick-ups wellte sich das schwarze Fell in der Brise. Wenige Schritte entfernt ein Paar Augen, schmutzgekörnt, überwältigt von der Vision seiner neuen Götter.

Kannst du hören, wie der Wind hinter der Episkopalkirche in der Wyllys Street den Fluss vor sich hertreibt?

Nie bin ich Gott näher gekommen als in der Ruhe, die mich nach einem Orgasmus erfüllt. In jener Nacht, als Trevor neben mir schlief, sah ich die Waschbärpupillen weiter vor mir, wie sie sich ohne den Schädel nicht schließen konnten. Ich würde gern glauben, dass wir auch ohne uns selbst immer noch sehen könnten. Ich würde gern glauben, dass wir die Augen nie zumachen würden.

Du und ich, wir waren amerikanisch, bis wir unsere Augen öffneten.

Ist dir kalt? Findest du es nicht komisch, dass sich zu wärmen im Grunde bedeutet, den Körper mit der Temperatur seines Marks zu berühren?

SIE WOLLEN, DASS du Erfolg hast, aber niemals mehr als sie selbst. Sie schreiben ihre Namen auf deine Leine und nennen dich *notwendig*, nennen dich *dringlich*.

Vom Wind lernte ich eine Syntax für Dreistigkeit, wie ich Hindernisse überwinden kann, indem ich mich um sie herumwickle. So kannst du es nach Hause schaffen. Glaub mir, du kannst den Weizen sieben und dennoch so namenlos sein wie Koksstaub auf der zarten Seite einer Bauernjungenfaust.

Wieso werden meine Hände, immer wenn sie wehtun, mehr zu meinen eigenen?

Geh am Friedhof in der House Street vorbei. Wo die Grabsteine so verwittert sind, dass die Namen wie Bissspuren aussehen. Im ältesten Grab liegt eine Mary-Anne Cowder (1784–1784).

Schließlich sind wir nur einmal hier.

Drei Wochen nach Trevors Tod warf mich ein Tulpentrio in einem Tonkrug aus der Bahn. Ich war plötzlich aufgewacht und dachte, noch schlaftrunken, dass das Dämmerlicht auf den Blütenblättern ein von den Blumen selbst ausgehendes Leuchten sei. Ich krabbelte auf die schimmernden Kelche zu und dachte, ich würde Zeuge eines Wunders, meines eigenen brennenden Busches. Aber als ich näher kam, blockierte mein Kopf die Strahlen, und die Tulpen erloschen. Auch das bedeutet nichts, ich weiß. Doch es gibt ein Nichts, das alles verändert, was danach kommt.

Auf Vietnamesisch ist der Ausdruck für jemanden vermissen und sich an ihn erinnern derselbe: *nhớ*. Manchmal, wenn du mich am Telefon fragst: *Con nhớ mẹ không?*, zucke ich zusammen, im Glauben, du meintest: *Erinnerst du dich an mich?*

Ich vermisse dich mehr, als dass ich mich an dich erinnere.

SIE WERDEN DIR sagen, dass man, wenn man politisch ist, nur zornig ist und daher kunstlos, geistlos, »roh« und leer. Vom Politischen sprechen sie peinlich berührt, als ginge es um den Weihnachtsmann oder den Osterhasen.

Sie werden dir sagen, dass gutes Schreiben sich vom Politischen »emanzipiert«, wodurch die Schranken der Unterschiede »transzendiert« und die Menschen auf universelle Wahrheiten hin vereint werden. Sie werden sagen, dass das vor allem durch *Handwerk* erreicht wird. Sehen wir uns an, wie es gemacht ist, sagen sie – als wäre die Art und Weise, wie etwas zusammengebaut ist, seinem schöpferischen Impuls fremd. Als wäre der erste Stuhl ohne Rücksicht auf die menschliche Gestalt ins Dasein gehämmert worden.

Ich weiß. Es ist nicht gerecht, dass das Wort *lachten* in *schlachten* gefangen ist.

Wir müssen es aufschneiden, du und ich, so wie ein Neugeborenes rot und zuckend aus der gerade erlegten Hirschkuh gehoben wird.

MIT OXYCODON VERSCHNITTENES Kokain macht alles schnell und still zugleich, wie wenn du aus einem Zugfenster über die nebligen Felder Neuenglands hinausblickst, auf das Ziegelsteingebäude der Colt-Werke, wo Cousin Victor arbeitet, und den geschwärzten Schornstein siehst – parallel zum Zug, als folgte er dir, als wollte dich das, wo du herkommst, nicht vom Haken lassen. Ich schwöre, zu viel Glück geht in unserer Verzweiflung verloren, als dass wir es bewahren könnten.

Nachdem wir eines Abends zwei Stunden geradelt waren, damit Trevor sich im Umland von Windsor Stoff beschaffen konnte, saßen wir auf der Schaukel bei der Nilpferdrutsche auf dem Spielplatz der Grundschule, das Gummi kalt unter uns. Er hatte gerade gespritzt. Ich sah zu, wie er eine Flamme unter das Pflaster hielt, bis das Fentanyl blubberte und sich als klebriger Teer in der Mitte absetzte. Als der Kunststoff sich an den Rändern verzog und braun wurde, nahm er die Nadel und zog die klare Flüssigkeit bis über die Striche am Zylinder auf.

Seine Turnschuhe schrammten über die Holzschnitzel. Im Dunkeln sah das lilafarbene Nilpferd mit dem offenen Maul, durch das man hindurchkriechen konnte, wie ein Autowrack aus. »He, Little Dog.« An seiner undeutlichen Aussprache wusste ich, dass seine Augen geschlossen waren.

»Ja?«

»Aber ist es echt wahr und so?« Seine Schaukel quietschte weiter. »Du glaubst, du bist richtig schwul, also irgendwie für immer? Ich mein'«, die Schaukel blieb stehen, »ich glaube … In ein paar Jahren wird's bei mir wieder gut sein, verstehst du?«

Ich konnte nicht sagen, ob er mit »richtig« *sehr schwul* oder *tatsächlich schwul* meinte.

»Ich glaub schon«, sagte ich, ohne zu wissen, was ich meinte.

»Das ist verrückt.« Er lachte das unechte Lachen, mit dem man die Tiefe eines Schweigens testet. Seine Schultern erschlafften, als die Droge ihn gleichmäßig durchströmte.

Dann streifte etwas meine Lippen. Erschrocken kniff ich sie zusammen. Trevor hatte eine Fluppe zwischen meine Lippen gesteckt, zündete sie an. Die Flamme blitzte in seinen Augen, die glasig und blutunterlaufen waren. Ich schluckte den süßen brühwarmen Rauch, kämpfte mit den Tränen – und gewann. Ich betrachtete die Sterne, dieses verstreute blauweiße Phosphoreszieren, und fragte mich, wie irgendjemand die Nacht dunkel nennen konnte.

JETZT GEH UM die Ecke bei der gelb blinkenden Ampel. Weil es das ist, was die Lichter unserer Stadt nach Mitternacht tun – sie vergessen, warum sie da sind.

Du hast mich gefragt, was es bedeutet, Schriftsteller zu sein, und du bekommst ein Durcheinander, ich weiß. Aber es ist ein Durcheinander, Ma – ich habe den Kopf nicht in den Wolken. Ich habe ihn ganz unten. Das ist Schreiben, nach all dem Gerede so tief herunterzugehen, dass die Welt einen gnädigen neuen Blickwinkel offenbart, eine größere Vision aus kleinen Dingen, die Staubfussel plötzlich eine gewaltige Nebelwand, genau von der Größe deines Augapfels. Und du blickst hindurch und siehst die Dampfschwaden in der Nachtbadeanstalt in Flushing, wo jemand mal die Hand nach mir ausgestreckt hat und mit den Fingern die eingeschlossene Flöte meines Schlüsselbeins nachgefahren ist. Ich habe nie das Gesicht des Mannes gesehen, nur wie seine goldgerahmte Brille im Nebel schwebte. Und dann das Gefühl, diese samtige Hitze, überall in mir.

Ist das vielleicht Kunst? Wenn man berührt wird und glaubt, dieses Gefühl gehöre einem selbst, wenn es doch eigentlich jemand anders war, der uns durch sein Verlangen findet?

Als es Houdini im Hippodrome London nicht gelang, sich aus seinen Handschellen zu befreien, gab ihm seine Frau, Bess, einen langen und leidenschaftlichen Kuss. Auf diese Weise ließ sie ihm den Schlüssel zukommen, der ihn retten würde.

Wenn es einen Himmel gibt, dann sieht er so aus, glaube ich.

Neulich habe ich, einfach so, Trevors Namen gegoogelt. Laut Telefonbuch ist er noch am Leben, dreißig Jahre alt und lebt nur 5,8 km von mir entfernt.

Die Wahrheit ist, dass die Erinnerung uns nicht vergessen hat.

Eine Seite, die umgeblättert wird, ist ein Flügel, der ohne Zwilling gehoben wird, und somit kein Flug. Und doch sind wir ergriffen.

EINES NACHMITTAGS FAND ich beim Aufräumen meines Klei-
derschranks in der Tasche einer alten Carhartt-Jacke ein Jolly
Rancher. Es stammte aus Trevors Pick-up. Er bewahrte sie immer in seinem Getränkehalter auf. Ich wickelte es aus, hielt es
zwischen meinen Fingern. Die Erinnerung an unsere Stimmen
ist darin. »Sag mir, was du weißt«, flüsterte ich. Das Licht vom
Fenster fing sich darin wie in einem antiken Schmuckstück.
Ich stieg in den Schrank, schloss die Tür, setzte mich in der engen Dunkelheit hin und legte das Bonbon, glatt und kühl, in
meinen Mund. Grüner Apfel.

Ich bin nicht bei dir, weil ich mich im Krieg gegen alles außer
dir befinde.

Ein Mensch neben einem Menschen in einem Leben. Das
nennt man Parataxe. Das nennt man die Zukunft.

Wir sind gleich da.

Ich erzähle dir weniger eine Geschichte als ein Schiffswrack –
die Teile dahintreibend, endlich lesbar.

Folge der Kurve, am Stoppschild vorbei, auf das unten in Weiß
»H8«, *Hass*, gesprüht ist. Geh auf das weiße Haus zu – die linke Hälfte kohlengrau von den Abgasen, die vom Schrottplatz
auf der anderen Seite des Highways herüberwehen.

Da ist das Fenster im Obergeschoss, wo ich eines Nachts, als
ich klein war, von einem Schneesturm draußen aufwachte. Ich
war fünf oder sechs und wusste nicht, dass Dinge zu Ende gehen. Ich dachte, es würde weiterschneien, bis der Himmel

randvoll wäre – und dann darüber hinaus, der Schnee würde Gottes Fingerspitzen streifen, der in seinem Lesesessel döst, die Gleichungen über den Boden seines Arbeitszimmers verteilt. Dass am Morgen alles im Inneren einer blauweißen Stille versiegelt wäre und niemand weggehen müsste. Jemals.

Nach einer Weile fand mich Lan oder, besser gesagt, erklang ihre Stimme an meinem Ohr. »Little Dog«, sagte sie, als ich den Schnee betrachtete, »willst du eine Geschichte hören? Ich erzähl dir eine Geschichte.« Ich nickte. »Okay«, fuhr sie fort, »vor langer Zeit. Eine Frau ihre Tochter hält, so«, sie drückte meine Schultern, »auf einem Feldweg. Das Mädchen, heißt Rose, ja, wie Blume. Ja, das Mädchen, sie heißt Rose, das ist meine Kleine … Okay, ich halte sie, meine Tochter. Little Dog«, sie schüttelt mich, »du weißt, wie heißt? Rose, wie Blume. Ja, diese kleine Mädchen halte ich auf Feldweg. Liebe Mädchen, meine Kleine, rote Haare. Sie heißt …« Und so machten wir weiter, bis die Straße unten weiß schimmerte und alles auslöschte, was einen Namen hatte.

WAS WAREN WIR, bevor wir wir waren? Wir müssen am Rand eines Feldwegs gestanden haben, als die Stadt brannte. Wir waren bestimmt im Begriff zu verschwinden, wie jetzt.

Vielleicht begegnen wir uns im nächsten Leben zum ersten Mal – und glauben an alles außer an das Leid, das wir zufügen können. Vielleicht werden wir das Gegenteil von Büffeln sein. Vielleicht wachsen uns Flügel, und wir strömen als eine Generation von Monarchen über die Klippe, die sich auf den Heimflug machen. Grüner Apfel.

Wie Schnee, der die Einzelheiten der Stadt zudeckt, werden sie sagen, dass wir nie stattgefunden haben, dass unser Überleben ein Gerücht sei. Aber sie irren sich. Du und ich, wir waren echt. Wir lachten in dem Wissen, dass Glück uns die Naht von den Lippen reißen wird.

Denk daran: Die Regeln können dich wie Straßen nur an *bekannte* Orte bringen. Unter dem Straßennetz ist ein Feld – es war immer dort –, und sich dort zu verlieren heißt nie, dass man sich irrt, sondern, dass man einfach mehr ist.

In der Regel – sei mehr.

In der Regel vermisse ich dich.

In der Regel ist *ein bisschen* immer weniger als *ein wenig*. Frag nicht, warum.

Es tut mir leid, dass ich nicht oft genug anrufe.

Grüner Apfel.

Tut mir leid, dass ich immer *Wie geht's dir?* sage, wenn ich tatsächlich meine: *Bist du glücklich?*

Wenn du dich im Gefängnis einer sich verfinsternden Welt wiederfindest, denk daran, dass es im Körper immer so dunkel war. Wo das Herz, wie jedes Gesetz, nur für die Lebenden anhält.

Wenn du dich selbst findest, dann herzlichen Glückwunsch, deine Hände darfst du behalten.

Bieg rechts ab in die Risley. Wenn du mich vergisst, bist du zu weit gegangen. Dreh wieder um.

Alles Gute.

Gute Nacht.

Großer Gott, Grüner Apfel.

DAS ZIMMER IST stumm wie ein Foto. Lan liegt hingestreckt auf einer Matratze auf dem Fußboden. Ihre Töchter – du und Mai – und ich sind an ihrer Seite. Kopf und Nacken sind in ein schweißgetränktes Handtuch gehüllt, das wie eine Kapuze ihr skeletthaftes Gesicht umrahmt. Ihre Haut hat aufgegeben, die Augen sind in den Schädel eingesunken, als starrten sie aus dem Gehirn selbst heraus. Sie gleicht einer Holzschnitzerei, schrumpelig und durchfurcht. Das einzige Anzeichen dafür, dass sie noch lebt, ist ihre gelbe, jetzt grau gewordene Lieblingsdecke, die sich auf ihrer Brust hebt und senkt.

Du sagst ihren Namen zum vierten Mal, und ihre Augen öffnen sich, blicken prüfend in jedes unserer Gesichter. Auf dem Tisch in der Nähe eine vergessene Kanne Tee. Und es war dieser blumig süße Jasminduft, bei dem mir erst recht der beißende, bittere Geruch bewusst wird, der die Luft unterhöhlt.

Seit zwei Wochen liegt Lan auf derselben Stelle. Da bei der geringsten Bewegung Schmerz durch ihren schwachen Körper schießt, hat sie an Schenkeln und Rücken Wundgeschwüre entwickelt, die sich entzündet haben. Sie hat keine Kontrolle mehr über ihren Stuhlgang, und die Bettpfanne unter ihr ist ständig halb voll; ihre Eingeweide haben sich buchstäblich gehen lassen. Mein Magen krampft, als ich dasitze und ihr Luft zufächele, ihre verbliebenen Haarsträhnen flattern um ihre Schläfen. Angestrengt sieht sie jeden von uns an, immer wieder, als erwarte sie, dass wir uns verwandeln.

»Ich brenne«, sagt sie endlich. »Ich brenne innen wie eine Hütte.« Als du antwortest, ist deine Stimme so sanft, wie ich sie noch nie gehört habe. »Wir schütten Wasser darauf, Ma, okay? Wir löschen das Feuer.«

AM TAG VON Lans Diagnose stand ich in dem weißen Nichts des Sprechzimmers, und die Stimme des Arztes klang wie unter Wasser, als er auf verschiedene Abschnitte meiner Großmutter zeigte, ihr Skelett, das an den Leuchtschirm geheftet war.

Aber was ich sah, war Leere.

Auf dem Röntgenbild starrte ich den Bereich zwischen ihrem Bein und ihrer Hüfte an, wo der Krebs ein Drittel ihres Oberschenkelknochens und einen Teil der Hüftpfanne zerfressen hatte, der Gelenkkopf war komplett weg, die rechte Hüfte porös und gesprenkelt. Es ließ an ein vor Rost und Korrosion ausgedünntes Stück Blech auf dem Schrottplatz denken. Kein Hinweis darauf, wohin dieser Teil von ihr verschwunden war. Ich sah genauer hin. Wo war der durchscheinende Knorpel, das Mark, die Minerale, Salz und Sehne, das Kalzium, die einmal ihre Knochen geformt hatten?

Damals spürte ich, während die Schwestern ringsum weiterleierten, einen neuen und einmaligen Zorn. Mein Kiefer und meine Fäuste verkrampften sich. Ich wollte wissen, wer das getan hatte. Für mich musste dieser Vorgang einen Schöpfer haben, etwas, das dies bewusst und schuldfähig zu verantworten hatte. Ausnahmsweise wollte ich, *brauchte* ich einen Feind. Knochenkrebs im vierten Stadium lautete die offizielle Diagnose.

Während du auf dem Korridor mit Lan im Rollstuhl wartetest, übergab der Arzt mir den Manila-Umschlag mit den Röntgenaufnahmen und sagte, meinem Blick ausweichend, bloß, meine Großmutter mit heimzunehmen und ihr zu essen zu geben, was immer sie wolle. Sie habe zwei Wochen, vielleicht drei.

Wir brachten sie nach Hause, legten sie mit dem Rücken auf eine Matte auf dem Fliesenboden, wo es kühl war, stopften Kissen unter ihre Seiten, um ihre Beine zu stabilisieren. Was es schlimmer machte – du erinnerst dich –, war, dass Lan selbst zum Schluss keinen Augenblick daran glaubte, dass sie unheilbar krank war. Wir erklärten ihr ihre Diagnose, was mit dem Tumor war, den Zellen, der Metastasierung, Substantive, die so abstrakt waren, dass wir ebenso gut Hexerei hätten beschreiben können.

Wir sagten ihr, dass sie im Sterben liege, dass es zwei Wochen seien, dann eine, jeden Tag jetzt. »Sei bereit. Sei bereit. Was willst du? Was brauchst du? Was möchtest du sagen?«, drängten wir. Aber sie wollte nichts davon hören. Sie sagte, wir seien bloß Kinder, dass wir nicht alles wüssten, und dass wir, wenn wir erst mal erwachsen wären, wüssten wie es in der Welt wirklich zugeht. Und weil Verleugnung, Erfindung – Geschichtenerzählen – ihre Art war, dem Leben einen Schritt voraus zu sein, wie konnte ihr da schon irgendeiner von uns sagen, dass sie sich irrte?

Aber Schmerz an sich ist keine Geschichte. Und in diesen letzten Tagen, während du unterwegs warst, um Vorbereitungen für die Beerdigung zu treffen, den Sarg auszusuchen, brach Lan immer wieder in langgezogenes, durchdringendes Schreien und Wehklagen aus. »Was habe ich getan?«, sagte sie und sah zur Decke auf. »Gott, was habe ich getan, dass du so auf mich trittst?« Wir gaben ihr das vom Arzt verschriebene synthetische Vicodin und Oxycontin, dann das Morphium, dann mehr Morphium.

Ich fächelte ihr mit einem Pappteller zu, während sie immer wieder wegdriftete. Mai, die die ganze Nacht von Florida hergefahren war, schlurfte durch die Zimmer, kochte wie in einem zombiehaften Taumel Essen und Tee. Weil Lan zu schwach zum Kauen war, löffelte Mai Haferflocken in ihren kaum geöffneten Mund. Ich fächerte weiter, während Mai sie fütterte, die zwei Frauen, das schwarze Haar von Mutter und Tochter, beinahe Stirn an Stirn, einhellig flatternd. Ein paar Stunden später drehten du und Mai sie auf die Seite und reinigten, die Hände in Gummihandschuhen, den Körper eurer Mutter von den Fäkalien – zu ausgezehrt, um ihren Darm zu entleeren. Ich fächerte ihrem Gesicht weiter zu, das von Schweißbrillanten glänzte, ihre Augen bei eurem Tun geschlossen. Als es vorbei war, lag sie nur blinzelnd da.

Ich fragte sie, woran sie dachte. Als erwachte sie aus einem schlaflosen Traum, antwortete sie mit ausgebrannter, monotoner Stimme. »Ich war mal ein Mädchen, Little Dog. Weißt du das?«

»Ja, Grandma, ich weiß –« Doch sie hörte nicht zu.

»Ich habe eine Blume in mein Haar gesteckt und bin in der Sonne spazieren gegangen. Nach großem Regen gehe ich in Sonne spazieren. Die Blume stecke ich an mein Ohr. So nass, so kühl.« Ihr Blick schweifte von mir weg. »So etwas Albernes.« Sie schüttelte den Kopf. »Albern. Ein Mädchen sein.« Nach einer Weile wandte sie sich mir zu, als erinnerte sie sich, dass ich da war. »Schon gegessen?«

WIR VERSUCHEN, LEBEN zu erhalten – selbst wenn wir wissen, dass es seinen Körper nicht überdauern kann. Wir füttern es, machen es ihm bequem, baden es, behandeln es mit Medikamenten, streicheln es, singen ihm sogar vor. Wir widmen uns diesen grundlegenden Aufgaben, nicht weil wir tapfer oder selbstlos sind, sondern weil es, wie Atmen, die elementarste Handlung unserer Spezies ist: den Körper zu erhalten, bis die Zeit ihn hinter sich lässt.

Ich denke jetzt an Duchamp, seine berüchtigte »*Skulptur*«. Wie er ein Urinal, einen Gegenstand von konstant gleichbleibendem Nutzen, auf den Kopf stellte und dadurch seine Wahrnehmung radikal veränderte. Indem er es obendrein *Fountain* nannte, enthob er den Gegenstand seiner erklärten Identität, übertrug ihm eine nicht wiederzuerkennende neue Form.

Ich hasse ihn dafür.

Ich hasse ihn für den Beweis, dass man die gesamte Existenz eines Dings verändern konnte, indem man es einfach umdrehte und dadurch eine neue Sicht auf seinen Namen schuf, vollbracht mit nichts anderem als Schwerkraft – der gleichen Kraft, die uns an diese Erde gefesselt hält.

Hauptsächlich hasse ich ihn dafür, dass er recht hatte.

Weil es das war, was mit Lan passierte. Der Krebs hatte nicht nur ihre Züge, sondern auch die Bahn ihres Seins neu bemessen. Lan würde, andersherum, ebenso Staub sein, wie selbst das Wort *sterben* kein bisschen wie das Wort *tot* erscheint. Vor Lans Krankheit fand ich diesen Akt der Formbarkeit schön; dass ein Ding oder Mensch, einmal auf den Kopf gestellt, zu mehr wird als sein ehemals einzigartiges Selbst. Diese Verwandlungsfähigkeit, die mich einmal mit Stolz erfüllt hatte, die queere, gelbe Tunte zu sein, die ich war und bin, verrät mich jetzt.

WÄHREND ICH BEI Lan sitze, gleiten meine Gedanken unerwartet zu Trevor. Trevor, der zu diesem Zeitpunkt erst seit sieben Monaten tot ist. Ich denke an das erste Mal, als wir Sex hatten, nicht mit seinem Schwanz in meiner Hand, wie wir es sonst machten, sondern in echt. Es war der September nach meiner zweiten Saison auf der Farm.

Die Ernte war vollständig aufgehängt, dicht gepackt von Balken zu Balken bis hinauf zu den Sparren, die Blätter bereits runzelig, das vormals satte Tiefgrün der Felder jetzt zum Farbton alter Uniformen verblasst. Es wurde Zeit, die Kohlen anzuzünden und das Curing, die Trocknung des Tabaks, zu beschleunigen. Dazu musste jemand die ganze Nacht über in der Scheune bleiben und mit Briketts heizen, die auf Zinnteller gestapelt und im Abstand von zwei bis drei Metern über den Lehmfußboden verteilt wurden. Trevor hatte mich gefragt, ob ich nachts vorbeikommen und rumhängen wollte, während er die Kohlen nachlegte. Überall um uns brannten die Haufen rot glühend und jedes Mal aufflackernd, wenn eine Brise durch die Latten strich. Der süße Duft schwoll an, als die Hitze zum Dach hinaufwaberte.

Es war nach Mitternacht, als wir uns auf dem Scheunenboden wiederfanden, wo der goldene Schein der Öllampe das Dunkel ringsum abschirmte. Trevor lehnte sich zu mir. Ich öffnete meine Lippen erwartungsvoll, aber er ließ sie unberührt, ging weiter hinunter diesmal, bis seine Zähne die Haut unter meinem Hals streiften. Das war, bevor ich wusste, wie tief sich diese Schneidezähne in das Jahr graben würden, bevor ich die Hitze im Mark dieses Jungen kannte, seine knochenharte amerikanische Wut, die Neigung seines Vaters, nach drei Corona auf der vorderen Veranda zu heulen, während die Patriots im Radio knisterten und eine gebundene Ausgabe von Dean

Koontz' *Geschöpfe der Nacht* bei ihm herumlag. Noch bevor der Alte Trevor in einem Gewitter bewusstlos auf der Ladefläche des Pick-ups fand, und das Wasser an den Ohren seines Jungen schlappte, als er ihn durch den Schlamm zerrte, vor der Ambulanz, dem Krankenzimmer, dem Heroin in Trevors Adern. Bevor er aus der Klinik kam, clean für ganze drei Monate, ehe er wieder an der Nadel hing.

Die Luft, drückend schwül von der letzten Hitze des Sommers, pfiff niedrig durch die Scheune. Ich drückte mich in seine sonnengedörrte Haut, die vom Tag auf dem Feld noch warm war. Seine Zähne, Elfenbein und noch unverfault, knabberten an meiner Brust, meinen Nippeln, meinem Bauch. Und ich ließ ihn. Weil mir nichts genommen werden kann, dachte ich, wenn ich es bereits hingegeben habe. Unsere Kleider fielen von uns ab wie Bandagen.

»Machen wir's doch einfach.« Er war über mir, und seine Stimme klang angestrengt, als er seine Boxershorts wegstrampelte.

Ich nickte.

»Ich mach langsam, okay?« Sein Mund eine klaffende Wunde der Jugend. »Ich mach vorsichtig.«

Ich drehte mich – zaghaft, aufgeregt – zum Boden um, drückte meine Stirn in meinen Arm und wartete. Meine Shorts waren um meine Knöchel, da brachte sich Trevor aufrecht hinter mir in Positur, sein Schambein streifte mich. Er spuckte ein paarmal in seine Hand, rieb die Spucke zwischen meine Beine, bis alles zäh und glatt und nicht mehr zu leugnen war.

Ich legte meinen Kopf wieder ab. Der Lehmgeruch vom Scheunenboden, Spuren von verschüttetem Bier und eisenreicher Erde, während ich dem nassen Klicken lauschte, als er seinen Schwanz mit Spucke einrieb.

Als er stieß, fühlte ich mich schreien – aber es kam kein Laut. Stattdessen war mein Mund voll salziger Haut, dann spürte ich den Knochen darunter, als ich meine Zähne in meinen Arm grub.

Trevor hielt inne, er war noch nicht richtig drin, setzte sich auf und fragte, ob alles okay sei.

»Weiß nicht«, sagte ich keuchend in den Boden.

»Heul mir jetzt nicht wieder. Heul mir jetzt bloß nicht.« Er spuckte einen weiteren Faden aus, ließ ihn auf seinen Schwanz fallen. »Versuchen wir's noch mal. Wenn es schlimm ist, lassen wir es ganz.«

»Okay.«

Er stieß, tiefer diesmal, drückte sein Gewicht hart nach unten – und glitt in mich hinein. Der Schmerz schlug weiße Funken in meinem Hinterkopf. Ich biss zu, mein Handwurzelknochen berührte die Konturen meiner Zähne.

»Ich bin drin. Ich bin drin, kleiner Mann.« Seine Stimme überschlug sich zu der lautstark flüsternden Furcht eines Jungen, der genau das bekommen hatte, was er wollte. »Ich bin drin«, sagte er verblüfft. »Ich kann es spüren. Scheiße. O Scheiße.«

Ich sagte ihm, er solle stillhalten, während ich mich auf dem Boden abstützte, mich wappnete. Der Schmerz schoss zwischen meinen Beinen hoch.

»Weiter«, sagte er. »Ich muss weitermachen. Ich will nicht aufhören.«

Bevor ich antworten konnte, pumpte er wieder auf und ab, seine Arme links und rechts neben meinem Kopf aufgepflanzt, und Hitze pulsierte von ihnen hoch, während er stieß. Er trug sein Goldkreuz, das eine, das er nie abnahm, und es baumelte die ganze Zeit gegen meine Wange. Also nahm ich es in den

Mund. Es schmeckte nach Rost, Salz und Trevor. Die Funken in meinem Kopf blühten bei jedem Stoß. Nach einer Weile gingen die Schmerzen in ein seltsames Stechen über, eine schwerelose Betäubung, die mich wie eine neue, noch wärmere Jahreszeit durchströmte. Das Gefühl war antörnend, nicht durch Zärtlichkeit wie bei einer Liebkosung, sondern dadurch, dass der Körper keine Wahl hatte, als dem Schmerz nachzugeben, indem er ihn zu einer unerklärlichen, ausstrahlenden Lust linderte. In den Arsch gefickt zu werden fühlte sich gut an, begriff ich, wenn man seinen eigenen Schmerz überlebte.

Wie Simone Weil schrieb: *Die vollkommene Freude schließt eigentlich das eigene Empfinden der Freude aus, denn in der ganz von ihrem Gegenstand erfüllten Seele ist auch nicht der kleinste Raum mehr verfügbar, um »ich« zu sagen.*

Während er über mir auf und ab schwenkte, griff ich unwillkürlich hinter mich, um mich zu berühren, mich zu vergewissern, dass ich noch da, noch ich selbst war, doch stattdessen fand meine Hand Trevor – als wäre er dadurch, dass er in mir war, diese neue Fortsetzung meines Ichs. Die alten Griechen glaubten, Sex sei der Versuch zwei vor langer Zeit getrennter Körper, zu einem Leben zurückzukehren. Ich weiß nicht, ob ich das glaube, aber so fühlte es sich an: als wären wir zwei Menschen, die im Bergwerk eines einzigen Körpers arbeiteten und darin verschmolzen, bis kein Winkel mehr übrig war, der *Ich* sagte.

Dann, nach etwa zehn Minuten, als Trevor schneller wurde, unsere schweißfeuchte Haut schmatzend, passierte etwas. Ein Geruch stieg zu meinem Kopf hoch, satt und dunkel wie Erde, aber mit einer verkehrten Schärfe. Ich wusste sofort, was es war, und geriet in Panik. In der Hitze des Augenblicks hatte ich nicht nachgedacht, wusste noch nicht, wie ich mich vorbereiten musste. Die Pornoclips, die ich gesehen hatte, zeigten nie, was nötig war, um dorthin zu kommen, wo wir waren. Die machten es einfach – schnell, direkt, sicher und ohne Flecken. Niemand hatte uns gezeigt, wie man es machen musste. Niemand hatte uns beigebracht, so tief zu sein – und tief gebrochen.

Beschämt drückte ich meine Stirn gegen mein Handgelenk und ließ sie dort pochen. Trevor wurde langsamer, hielt dann inne.

Alles still.

Über uns huschten die Motten durch den Tabak. Sie waren gekommen, um von den Pflanzen zu fressen, doch die Pestizide von den Feldern töteten sie, sobald sie ihre Saugrüssel auf die Blätter senkten. Sie stürzten ringsherum ab, ihre Flügel summten in Todesqualen über den Scheunenboden.

»Fuck.« Trevor stand auf, sein Gesicht ungläubig.

Ich wandte mich ab. »Tut mir leid«, sagte ich instinktiv.

Sein Schwanz, an der Spitze von dem Dunkel in meinem Inneren berührt, erschlaffte pochend unter dem Lampenlicht. In diesem Augenblick war ich nackter, als ich es ohne meine Kleidung war – ich war von innen nach außen gekehrt. Wir waren geworden, was wir am meisten gefürchtet hatten.

Er atmete schwer über mir. So wie Trevor war, aufgewachsen im Gewebe und Muskel amerikanischer Männlichkeit, hatte ich Angst vor dem, was kommen würde. Es war meine Schuld. Ich hatte ihn mit meiner Tuntigkeit befleckt; die Schmutzigkeit unseres Treibens sichtbar geworden durch das Versagen meines Körpers, an sich zu halten.

Er trat auf mich zu. Ich erhob mich auf die Knie, bedeckte halb mein Gesicht, machte mich gefasst.

»Leck's auf.«

Ich schreckte zurück.

Schweiß glänzte auf seiner Stirn.

Eine erstickende Motte schlug gegen mein rechtes Knie. Ihr gewaltiger und endgültiger Tod kaum ein Zucken auf meiner Haut. Eine Brise strich durch das Dunkel draußen. Ein Auto brummte die Straße hinter den Feldern entlang.

Er fasste mich an der Schulter. Woher wusste ich bereits, wie er reagieren würde?

Ich verzerrte mein Gesicht, sah ihm entgegen.

»Ich hab gesagt, steh auf.«

»Was?« Ich blickte forschend in seine Augen.

Ich hatte mich verhört.

»Na komm«, sagte er wieder. »Steh endlich auf.«

Trevor zog mich am Arm auf die Füße. Wir traten aus dem goldenen Kreis der Öllampe, ließen ihn leer und wieder vollkommen zurück. Er führte mich durch die Scheune, sein Griff war fest. Die Motten tauchten zwischen uns auf und ab. Als mich eine an der Stirn traf und ich anhielt, riss er mich weiter, und ich stolperte hinter ihm her. Wir erreichten die andere Seite, dann durch das Tor, in die Nacht hinein. Die Luft war kühl und sternenlos. In der plötzlichen Dunkelheit konnte ich bloß seinen bleichen Rücken ausmachen, graublau im Nichtlicht. Nach ein paar Schritten hörte ich das Wasser. Die Flussströmung, obwohl ruhig, schäumte weiß um seine Oberschenkel. Die Grillen wurden lauter, üppig. Die Bäume raschelten ungesehen in den Schatten, die sich jenseits vom Fluss ballten. Dann ließ Trevor los und tauchte unter, bevor er rasch wieder an die Oberfläche kam. Tröpfchen rannen seinen Kiefer hinab, rieselten um ihn her.

»Wasch dich«, sagte er, sein Ton seltsam zart, fast zerbrechlich. Ich hielt mir die Nase zu und tauchte unter, keuchend vor Kälte. In einer Stunde werde ich in unserer dämmrigen

Küche stehen, der Fluss noch feucht in meinen Haaren, und Lan wird in den Schein des Nachtlichts über dem Ofen schlurfen. *Ich sag's keinem, dass du im Meer warst, Little Dog.* Sie wird den Finger auf die Lippen legen und nicken. *So können die Piratengeister dir nicht folgen.* Sie wird ein Geschirrtuch nehmen und mein Haar, meinen Hals abtrocknen, über dem Knutschfleck innehalten, der bis dahin die Farbe von getrocknetem Blut unter meinem Kinn haben wird. *Du warst weit weg. Jetzt zu Hause. Jetzt trocken,* wird sie sagen, während die Dielenbretter unter ihrem Gewicht knarzen.

Mit dem Fluss jetzt bis zur Brust schlug ich mit den Armen, um mich auf der Stelle zu halten. Trevor legte seine Hand in meinen Nacken, und wir standen für einen Augenblick still, unsere Köpfe über den schwarzen Spiegel des Flusses gebeugt.

Er sagte: »Mach dir nichts daraus. Hast du gehört?«

Das Wasser floss um mich, zwischen meinen Beinen hindurch.

»Hey.« Er machte diese Geste, wo er mit einer Faust unter meinem Kinn meinen Kopf anhob, bis ich seinem Blick begegnete, was mich für gewöhnlich zum Lächeln brachte. »Hast du mich gehört?«

Ich nickte nur, wandte mich dann zum Ufer. Ich kam nur ein paar Schritte weiter, als ich spürte, wie seine flache Hand fest zwischen meine Schultern drückte, mich vorbeugte, sodass ich instinktiv die Hände auf die Knie stützte. Bevor ich mich umdrehen konnte, fühlte ich seine Stoppeln, erst zwischen meinen Schenkeln, dann höher. Er hatte sich in das seichte Wasser gekniet, seine Knie im Flussschlamm versunken. Ich zitterte – seine Zunge so unwahrscheinlich warm im Vergleich zu dem kalten Wasser, das Plötzliche, Wortlose daran, ein durch Willenskraft hervorgebrachter Balsam für mein Versagen in der

Scheune. Es fühlte sich wie eine entsetzliche zweite Chance an, auf diese Weise wieder gewollt zu werden.

In der Ferne über den Feldern, direkt hinter einer Reihe Platanen, flackerte ein einzelnes beleuchtetes Fenster im oberen Stock eines alten Bauernhauses. Darüber biss sich eine Handvoll verstreuter Sterne durch den milchigen Dunst des Himmels. Er packte meine Oberschenkel mit beiden Händen, drückte mich demonstrativ in sich hinein. Ich starrte auf die krampfartig zuckenden Formen im Wasser, während ich Atem holte. Ich blickte zwischen meine Beine und sah, wie sich sein Kinn bewegte und den Akt dazu machte, was er war, was er immer schon gewesen war: einer Form von Gnade. Wieder sauber zu sein. Wieder gut zu sein. Was sind wir füreinander *geworden*, wenn nicht das, was wir miteinander *gemacht* haben? Es war nicht das erste Mal, dass er das tat, aber es war das einzige Mal, dass der Vorgang neue, erschütternde Macht gewann. Als würde ich nicht von einem Menschen verschlungen, einem Trevor, sondern von Verlangen selbst. Durch diese Lust geläutert zu werden, getauft zu werden durch dieses pure Bedürfnis. Das war es.

Als er fertig war, wischte er sich den Mund am Arm ab, zauste dann meine Haare, bevor er ans Ufer watete. »Gut wie immer«, sagte er über die Schulter.

»Immer«, wiederholte ich wie in Erwiderung einer Frage, dann machte ich mich auf den Weg zur Scheune, wo die Motten im schwindenden Schimmer der Öllampe weiterstarben.

NACH DEM FRÜHSTÜCK, gegen zehn, als ich auf der vorderen Veranda sitze und lese, packt Mai meinen Arm. »Es ist Zeit«, sagt sie. Ich blinzle. »Sie geht.« Wir stürzen ins Wohnzimmer, wo du bereits an Lans Seite kniest. Sie ist wach und murmelt, ihre Augen schweifen ziellos unter den halb geschlossenen Lidern umher. Du läufst los, um Aspirin und Advil aus der Küche zu holen. Als ob Ibuprofen uns jetzt helfen könnte. Doch für dich ist das *alles* Medizin – Medikamente, die schon einmal geholfen haben, warum sollten sie es jetzt nicht?

Du sitzt neben deiner Mutter, deine Hände, endlich leer, liegen in deinem Schoß. Mai deutet auf Lans Zehen. »Sie werden lila«, sagt sie mit unheimlicher Ruhe. »Die Füße, sie gehen als Erstes – und sie sind lila. Noch eine halbe Stunde jetzt, wenn überhaupt.« Ich sehe zu, wie Lans Leben sich aus sich selbst zurückzieht. *Lila*, hatte Mai gesagt, aber für mich sehen Lans Füße nicht lila aus. Sie sind schwarz, ein poliertes Braun an den Zehenspitzen, steinern dunkel überall sonst bis auf die Zehennägel, die eine gelbstichig trübe Färbung haben – wie Knochen. Aber es ist das Wort *lila*, und mit ihm dieser satte, tiefe Farbton, was mich durchströmt. Das sehe ich vor mir, als ich beobachte, wie sich das Blut aus Lans schwarzen Füßen zurückzieht, das Grün vor meinem inneren Auge von Büscheln aus Lila umgeben, und ich begreife, dass das Wort mich in eine Erinnerung hineinzieht. Vor Jahren, als ich sechs oder sieben war und mit Lan einen Trampelpfad entlangspazierte, der neben dem Highway an der Church Street verlief, blieb sie plötzlich stehen und rief etwas. Ich konnte sie über den Verkehr nicht verstehen. Sie wies auf den Maschendrahtzaun, der die Straße vom Fußweg trennte, die Augen pupillenweit aufgerissen. »Guck, Little Dog!« Ich bückte mich, musterte den Zaun.

»Ich kapier's nicht, Grandma. Was ist los?«

»Nein«, sagte sie ärgerlich, »steh auf – guck hinter den Zaun – da – diese lila Blumen.«

Genau hinter dem Zaun, auf der Straßenseite, war eine Lache violetter Wildblumen, die einzelnen Blüten nicht größer als ein Daumennagel, mit einer winzigen gelbweißen Mitte. Lan kauerte sich ernst hin, hielt meine Schultern fest, brachte ihre Augen auf meine Höhe. »Kannst du darüberklettern, Little Dog?« Ihre Augen verengten sich in gespielter Skepsis, abwartend. Klar, nickte ich eifrig. Und sie wusste, dass ich es tun würde.

»Ich schieb dich hinauf, und du pflückst sie schnell, abgemacht?« Ich zog mich am Zaun hinauf, während sie meine Hüften hochstemmte. Nach kurzem Schlingern hatte ich es hinauf geschafft, wo ich mich rittlings auf den Zaun setzte. Ich sah hinunter und mir wurde sofort übel, die Blumen irgendwie winzige, verblasste Pinselstriche auf einem grünen Schwirren. Der Luftzug der Autos fuhr mir durch die Haare. »Ich weiß nicht, ob ich's kann!«, schrie ich, den Tränen nahe. Lan packte meine Wade. »Ich bin gleich hier. Ich lass nicht zu, dass dir was passiert«, sagte sie über den Verkehr hinweg. »Wenn du fällst, schneide ich mit meinen Zähnen den Zaun auf und rette dich.«

Ich glaubte ihr und sprang, rollte mich auf dem Boden ab, stand auf und klopfte mich ab. »Zieh sie mit beiden Händen an den Wurzeln heraus.« Sie zog Grimassen, hängte sich an den Zaun. »Du musst schnell sein, oder wir kriegen Ärger.« Ich zog ein Büschel nach dem anderen heraus, und die Wurzeln brachen in ascheähnlichen Wölkchen aus der Erde. Ich warf sie über den Zaun, und die Windstöße der vorbeifahrenden Autos rissen mich beinahe von den Füßen. Ich zog und zog, und Lan stopfte sie alle in eine 7-Eleven-Plastiktüte.

»Okay. Okay! Das reicht schon.« Sie winkte mich wieder

zurück. Ich hüpfte am Zaun hoch. Lan streckte ihre Hände hinauf und zog mich nach unten in ihre Arme, umklammerte mich. Sie erschauerte, und erst als sie mich absetzte, begriff ich, dass sie kicherte. »Du hast es geschafft, Little Dog! Du bist mein Blumenjäger. Der beste Blumenjäger der USA!« Sie hielt eines der Büschel in das fahle Ockerlicht hoch. »Die passen perfekt auf unsere Fensterbank.«

Es war Schönheit, begriff ich, für die wir unser Leben aufs Spiel setzten. An jenem Abend, als du heimkamst, zeigtest du auf unsere Ernte, die über die braune, verschmutzte Fensterbank schäumte, das Rankengeflecht auf dem Esstisch, und fragtest beeindruckt, woher wir die hatten. Lan sagte abwinkend, dass wir sie gefunden hätten, nachdem ein Blumenladen sie auf den Bordstein gekippt hatte. Ich spähte von meinen Spielzeugsoldaten zu Lan hinüber, die einen Finger auf die Lippen legte und zwinkerte, als du dir mit dem Rücken zu uns den Mantel auszogst. Ihre Augen lächelten.

Ich würde diese Blumen nie beim Namen kennen. Weil Lan nie einen für sie hatte. Bis heute – das schwöre ich – sind es, immer wenn ich kleine, lilafarbene Blumen sehe, dieselben Blumen, die ich an jenem Tag pflückte. Aber ohne Namen gehen die Dinge verloren. Das Bild jedoch bleibt klar. Klar und lila, die Farbe, die nun Lans Schienbeine hinaufsteigt, während wir dasitzen und darauf warten, dass es sie ganz durchströmt. Du bleibst dicht bei deiner Mutter und streichst das verfilzte Haar aus ihrem eingefallenen totenkopfähnlichen Gesicht.

»Was willst du, Ma?«, fragst du mit dem Mund an ihrem Ohr. »Was brauchst du von uns? Du kannst alles haben, was du willst.«

Draußen vor dem Fenster ist der Himmel ein spöttisches Blau.

»Reis«, sagt Lan in meiner Erinnerung, ihre Stimme irgendwo tief in ihr. »Ein Löffel Reis.« Sie schluckt, tut einen Atemzug. »Aus Go Công.«

Wir sehen uns an – die Bitte unerfüllbar. Trotzdem steht Mai auf und verschwindet hinter dem Perlenvorhang in der Küche.

Eine halbe Stunde später kniet sie neben ihrer Mutter, eine dampfende Schale Reis in der Hand. Sie hält den Löffel an Lans zahnlosen Mund. »Hier, Ma«, sagt sie, stoisch, »es ist Reis aus Go Công, erst letzte Woche geerntet.«

Lan kaut, schluckt, und etwas wie Linderung breitet sich über ihre Lippen. »So gut«, sagt sie nach ihrem ersten und einzigen Bissen. »So süß. Das ist unser Reis – so süß.« Sie deutet mit dem Kinn auf etwas weit Entferntes und döst ein.

Zwei Stunden später schreckt sie auf. Wir drängen uns um sie, hören, wie der eine, tiefe Atemzug in ihre Lunge gesogen wird, als würde sie gleich unter Wasser tauchen, und das war es dann – kein Ausatmen. Sie erstarrt einfach, als hätte jemand bei einem Film auf Pause gedrückt.

Ich sitze da, während du und Mai euch ohne Zögern an ihr zu schaffen macht und deine Arme nicht von dem steifen Körper deiner Mutter weichen. Ich tue das Einzige, was ich kann. Die Knie an die Brust gezogen, fange ich an, ihre violetten Zehen zu zählen. 1 2 3 4 5 1 2 3 4 5 1 2 3 4 5. Ich wiege mich zu den Zahlen vor und zurück, während eure Hände methodisch, wie von Krankenschwestern auf ihren Rundgängen, über den Körper wandern. Bei all meinem Wortschatz, meinen Büchern, meinem Wissen, finde ich mich gegen die hintere Wand zusammengesunken, verlassen wieder. Ich sehe zwei Schwestern zu, die sich mit einer Schwerfälligkeit ihres eigenen Blutes annehmen, die Feierlichkeit gleichkommt. Ich sitze da mit meinen ganzen Theorien, Metaphern und Gleichungen, Shakespeare und Milton, Barthes, Du Fu und Homer, Meister des Todes, die mich am Ende doch nicht lehren können, wie ich meine Toten berühren muss.

Nachdem Lan gewaschen und angekleidet ist, nachdem die Laken abgezogen, die Körperflüssigkeiten vom Boden geschrubbt sind und der Leichnam – weil es das ist, was die Sprache jetzt diktiert: Leichnam statt ihrer selbst – wir versammeln uns wieder um Lan. Mit all deinen Fingern stemmst du ihren steifen Kiefer auf, während Mai von der anderen Seite Lans Gebiss hineinschiebt. Aber weil die Totenstarre bereits eingesetzt hat, schnappt der Kiefer zu, bevor die Schneidezahnprothesen richtig sitzen, und das Gebiss ploppt heraus, fällt mit einem Klacken auf den Boden. Du stößt einen Schrei aus, den du rasch mit einer Hand vor dem Mund unterdrückst. »Scheiße«, sagst du auf seltenem Englisch, »scheiße scheiße scheiße.« Beim zweiten Versuch klicken die Zähne ein, und du weichst gegen die Wand neben deiner verstorbenen Mutter zurück.

Draußen klirrt und piepst ein Müllwagen die Straße entlang. Ein paar Tauben gurgeln inmitten der vereinzelten Bäume. Auf dem Grund all dessen sitzt du mit Mais Kopf an deiner Schulter, während der Körper deiner Mutter ein paar Schritte weiter erkaltet. Dann zerknittert dein Kinn zu einem Pfirsichkern, und du lässt das Gesicht in die Hände sinken.

LAN IST JETZT seit fünf Monaten tot, und seit fünf Monaten steht sie in einer Urne auf deinem Nachttisch. Aber heute sind wir in Vietnam. Tieˆ`n Giang, Heimatprovinz des Distrikts Go Công. Es ist Sommer. Die Reisfelder schwingen sich rings um uns bis weit in die Ferne, endlos und grün wie das Meer selbst.

Nach der Beerdigung, nach den Sprechchören und Gesängen der safrangelb gewandeten Mönche um ihren polierten Granitgrabstein, kommen die Nachbarn aus dem Dorf vorbei – die mit den weißen Haaren, die sich noch daran erinnern, wie Lan vor knapp dreißig Jahren hier gelebt hat –, sie balancieren Tabletts mit Essen auf dem Kopf, erzählen Anekdoten und sprechen ihr Beileid aus. Nachdem die Sonne hinter den Reisfeldern versunken ist und nichts übrig bleibt als das Grab, die Erde noch frisch und feucht an den Rändern, weiße Chrysanthemen sind darübergestreut, rufe ich Paul in Virginia an. Er äußert einen Wunsch, den ich nicht erwartet habe, und bittet darum, sie sehen zu dürfen. Ich nehme meinen Laptop und trage ihn die paar Schritte auf die Gräber zu, nah genug beim Haus, dass noch drei Striche Wi-Fi angezeigt werden.

Ich stehe da und halte den Laptop vor mich hin, richte Pauls Gesicht dorthin, wo Lans Grabstein steht, in den ein Foto von ihr als Achtundzwanzigjähriger geprägt ist; ungefähr dem Alter, in dem die beiden sich kennengelernt haben. Ich warte hinter dem Bildschirm, während dieser amerikanische Veteran mit seiner entfremdeten vietnamesischen Exfrau skypt, die gerade begraben worden ist. Einmal kommt es mir vor, als ob die Verbindung abgebrochen wäre, aber dann höre ich, wie Paul sich schnäuzt, seine Sätze wie amputiert, während er sich durch sein Lebewohl quält. Es tue ihm leid, sagt er zu dem lächelnden Gesicht auf dem Grab. Leid, dass er 71 zurück nach Virginia gegangen sei, nachdem er erfahren hätte, dass seine Mutter krank liege. Wie das alles nur ein Trick gewesen sei, damit er wieder nach Hause komme, wie seine Mutter ihre Tuberkulose nur vorgetäuscht hätte, bis aus Wochen Monate geworden seien, bis der Krieg auf sein Ende zuging und Nixon keine Truppen mehr nach Vietnam schickte und die Amerikaner ihren Abzug begannen. Wie all die Briefe, die Lan geschickt hatte, von Pauls Bruder abgefangen worden seien. Wie es erst eines Tages war, Monate bevor Saigon fiel, dass ein gerade heimgekehrter Soldat an seine Tür klopfte und ihm eine Nachricht von Lan überbrachte. Wie Lan und ihre Töchter die Hauptstadt nach der Besetzung verlassen mussten. Wie sie wieder schreiben würden. Er entschuldigte sich, dass es so lange gedauert hatte. Dass es zu dem Zeitpunkt, als die Heilsarmee anrief und ihm mitteilte, dass es in einem philippinischen Flüchtlingslager eine Frau gebe, die eine Heiratsurkunde mit seinem Namen darauf hatte und nach ihm suchte – dass es da schon 1990 war. Bis dahin war er bereits seit über acht Jahren mit einer anderen Frau verheiratet. Er bringt all das in einem Schwall von gestottertem Vietnamesisch vor – das er sich während seiner Militärzeit beigebracht und woran er während ihrer Ehe festgehalten hatte –, bis die Worte unter seinem Keuchen kaum noch einen Sinn ergeben.

Ein paar Dorfkinder sind draußen vor den Gräbern zusammengekommen, ihr neugieriges und ratloses Starren schwebt am äußeren Rand meines Blickfelds. Ich muss ihnen seltsam erscheinen, wie ich so den pixeligen Kopf eines Weißen vor einer Reihe Gräber hochhalte.

Als ich Pauls Gesicht auf dem Bildschirm ansehe, diesen Mann mit der sanften Stimme, diesen Fremden-dann-Großvater-dann-Familie, wird mir bewusst, wie wenig ich über uns weiß, über mein Land, irgendein Land. Ich stehe an einem Feldweg, nicht unähnlich jenem, auf dem einst Lan vor beinahe vierzig Jahren mit dir auf dem Arm gestanden hatte, während ein M-16 auf ihre Nase gerichtet war, und warte, bis die Stimme meines Großvaters, dieses pensionierten Dozenten, Veganers und Cannabiszüchters, dieses Bewunderers von

Landkarten und Camus, ihre letzten Worte an seine erste Liebe beschließt, dann klappe ich den Laptop zu.

IN DEM HARTFORD, in dem ich groß wurde und du alt wirst, grü-
ßen wir uns nicht mit »Hallo« oder »Wie geht es dir?«, sondern
indem wir, das Kinn in die Luft gereckt, fragen: »'s gut?« Ich
habe das in anderen Teilen des Landes sagen hören, aber in
Hartford war es allgegenwärtig. Inmitten dieser ausgehöhlten,
mit Brettern vernagelten Gebäude, der Spielplätze mit ihren
Stacheldrahtzäunen, die so rostig und verschlungen waren,
dass sie wirkten wie von der Natur hervorgebracht, organisch
wie Weinranken – hier schufen wir uns einen eigenen Wortschatz. Da sie vor allem unter den Verlierern der Wirtschaft ge-
bräuchlich ist, hört man die Formel auch in East Hartford und
New Britain, wo sich ganze weiße Familien – manche Menschen nennen sie *Trailer Trash* – auf halb verfallene Veranden
in Wohnwagensiedlungen und Sozialwohnungen quetschen,
ihre Gesichter unter Zigarettenrauch oxycontin-verhärmt und
angestrahlt von Taschenlampen, die statt Lichtern von Angel-
schnüren baumeln, und »'s gut?« brüllen, wenn man vorbei-
läuft.

   In meinem Hartford, in dem Väter Phantome waren, die im
Leben ihrer Kinder so schnell auftauchten, wie sie wieder verschwanden, so wie mein eigener Vater. Wo Großmütter, *abue-
las, abas, nanas, babas* und *bà ngoại*, das Sagen hatten, mit
nichts anderem gekrönt als ihrem konservierten und improvisierten Stolz und dem sturen Zeugnis ihrer Zungen, wenn sie
auf knackenden Knien und aufgedunsenen Füßen für Hei-
zungs- und Ölzuschüsse vor dem Sozialamt anstanden, sich
dampfend und nach Drogerieparfüm und Minzbonbons rie-

chend entlang der winterlichen Straße zusammendrängten, die zu großen braunen Secondhand-Mäntel mit frischem Schnee bestäubt – ihre Söhne und Töchter bei der Arbeit oder im Gefängnis oder totgespritzt oder einfach verschwunden, trampten in Greyhound-Bussen quer durchs Land mit Träumen davon, clean zu werden, ganz neu anzufangen, aber dann in Familienlegenden heraufbeschworen wurden.

In meinem Hartford, aus dem die Versicherungsfirmen, die unsere Stadt groß gemacht hatten, alle weggezogen waren, als das Internet erst mal geboren war, und unsere besten Köpfe von New York oder Boston geschluckt wurden. Wo jedermanns entfernter Cousin bei den Latin Kings war. Wo wir, zwanzig Jahre nachdem die Whalers diesem Ort den Rücken gekehrt hatten, um zu den Carolina Hurricanes zu werden, immer noch Whalers-Trikots am Busbahnhof verkaufen. Das Hartford von Mark Twain, Wallace Stevens und Harriet Beecher Stowe, Autoren, deren gewaltiger Vorstellungskraft es nicht gelang, Körper wie die unseren, sei es leibhaftig oder in Tinte, zu fassen. Wo das Bushnell-Theater, das Wadsworth Atheneum (das die erste Picasso-Retrospektive in Amerika zeigte) hauptsächlich von Außenstehenden aus dem Umland besucht werden, die ihre Autos von Bediensteten parken lassen und in das warme Halogen der Zuschauersäle eilen, bevor sie wieder in verschlafene Städtchen voller Pier-1-Geschäfte und Whole-Foods-Supermärkte heimfahren. Hartford, wo wir blieben, als andere vietnamesische Einwanderer die Flucht nach Kalifornien oder Houston ergriffen. Wo wir uns irgendwie durchschlugen, indem wir uns in einen harten Winter nach dem andern ein- und wieder herausgruben, wo Nor'easter-Stürme über Nacht unsere Autos verschluckten. Die Schüsse um zwei Uhr morgens, die Schüsse um zwei Uhr mittags, die

Ehefrauen und Freundinnen an der C-Town-Kasse mit blauem Auge und aufgeplatzten Lippen, die deinen Blick mit erhobenem Kopf erwidern, als wollten sie sagen: *Kümmer dich um deinen Scheiß.*

Weil es schon stillschweigend vorausgesetzt wurde, schon *selbstverständlich* war, dass man verprügelt wurde, es war die Haut, die man trug. *'s gut?* zu fragen hieß, direkt zum Erfreulichen überzugehen. Es hieß, das Unvermeidliche links liegen zu lassen, um an das Außergewöhnliche heranzukommen – nicht großartig oder gesund oder wunderbar, sondern einfach *gut.* Weil *gut* meistens genug war, ein kostbarer Funken, den wir von und für einander suchten und ernteten.

Hier heißt *gut*, wenn man einen Dollar im Gullyrost findet oder wenn deine Mom an deinem Geburtstag genug Geld hat, um einen Film auszuleihen und außerdem eine Fünfdollar-Pizza bei Easy Frank's zu holen und acht Kerzen in den geschmolzenen Käse mit Pepperoni-Salami zu stecken. *Gut* ist, wenn man weiß, dass es eine Schießerei gegeben hat und dass es dein Bruder war, der wieder heimkam oder bereits neben dir saß und sich eine Schüssel Mac and Cheese schmecken ließ.

Es war, was Trevor in jener Nacht zu mir sagte, als wir aus dem Fluss stiegen und uns die schwarzen Tröpfchen aus den Haaren und von den Fingerspitzen tropften. Ein Arm um meine bebenden Schultern geschlungen, legte er seinen Mund an mein Ohr und sagte: »'s gut. Verstanden, Little Dog? 's gut, ich schwöre. 's alles gut mit dir.«

NACHDEM WIR LANS Urne in die Erde gesenkt, ihr Grab ein letztes Mal mit in Wachs und Rizinusöl getränkten Stofflappen poliert haben, kehren du und ich zu unserem Hotel in Saigon zurück. Kaum haben wir das schmuddelige Zimmer mit seiner röchelnden Klimaanlage betreten, schaltest du alle Lichter aus. Ich halte mitten im Schritt inne, unsicher, was ich von der plötzlichen Dunkelheit halten soll. Es ist früher Nachmittag, und das Hupen und Tuckern der Motorroller unten auf der Straße ist immer noch laut. Das Bett knarrt, du hast dich hingesetzt.

»Wo bin ich?«, sagst du mit fremder Stimme. »Wo ist das hier?«

Weil ich nicht weiß, was ich sonst sagen soll, sage ich deinen Namen.

»Rose«, sage ich. Die Blume, die Farbe, die Schattierung. »Hong«, wiederhole ich. Eine Blume wird nur gegen Ende ihres Daseins gesehen, gerade erblüht und schon im Begriff, zu braunem Pergament zu werden. Und vielleicht sind alle Namen Illusionen. Wie oft benennen wir etwas nach seiner flüchtigsten Gestalt? Rosenbusch, Regen, Schmetterling, Schnappschildkröte, Erschießungskommando, Kindheit, Tod, Muttersprache, ich, du.

Erst als ich das Wort ausspreche, wird mir klar, dass *rose* auch die Vergangenheitsform von *rise* ist. Dass ich dir, wenn ich deinen Namen rufe, auch sage, dass du aufstehen sollst. Ich sage es, als wäre es die einzige Antwort auf deine Frage – als wäre ein Name auch ein Laut, in dem wir gefunden werden können. Wo bin ich? Wo bin ich? Du bist Rose, Ma. *You have risen* – du bist aufgestanden.

Ich berühre deine Schulter mit einer Behutsamkeit, die Trevor mir damals im Fluss zeigte. Trevor, der bei all seinem

Furor, seiner Rauheit kein Kalbfleisch aß, nicht die Kinder von Kühen aß. Ich denke jetzt an diese Kinder, ihren Müttern weggenommen und in Kisten, so groß wie ihr Leben, gesteckt, um zu weichem Fleisch herangefüttert und gemästet zu werden. Ich denke wieder an Freiheit; daran, wie das Kalb am freiesten ist, wenn sich der Käfig öffnet und es zum Lastwagen geführt wird, um geschlachtet zu werden. Alle Freiheit ist relativ – du weißt das nur zu gut –, und manchmal ist es überhaupt keine Freiheit, sondern einfach nur so, dass sich der Käfig fern von dir öffnet, die Gitterstäbe durch die Distanz abstrakt geworden, aber immer noch da, so wie man wilde Tiere in Naturreservate »freilässt«, nur um sie doch wieder, innerhalb erweiterter Grenzen, gefangen zu halten. Aber ich nahm sie trotzdem, diese Erweiterung. Weil es manchmal schon reicht, wenn man die Gitterstäbe nicht sieht.

Ein paar taumelnde Augenblicke lang in der Scheune, als Trevor und ich vögelten, wurde der Käfig um mich unsichtbar, auch wenn ich wusste, das er nie ganz verschwunden war. Wie meine Ekstase zu einer Falle wurde, als ich die Kontrolle über mein inneres Ich verlor. Wie Ausscheidungen, Scheiße, Übermaß das ist, was die Lebenden fesselt, und doch immer gegenwärtig ist und immerwährend im Tod. Wenn die Kälber endlich geschlachtet werden, ist die Preisgabe ihres Inneren oft das Letzte, was sie tun, das Versagen ihres Darms angesichts der plötzlichen Raschheit des Endes.

Ich drücke dein Handgelenk und sage deinen Namen.

Ich blicke dich an und sehe im pechschwarzen Dunkel Trevors Augen – Trevor, dessen Gesicht in meiner Erinnerung bereits zu verschwimmen beginnt –, ihre Glut unter der Scheunenlampe, während wir uns anzogen, still schauernd vom Flusswasser. Ich sehe Lans Augen in ihren letzten Stunden, wie Not leidende Wassertropfen, die alles waren, was sie noch bewegen konnte. Wie die weiten Pupillen des Kalbs, wenn der Riegel geöffnet wird und es aus seinem Gefängnis auf den Mann zuschießt, der ein Geschirr bereithält, das er um den Nacken des Tieres legt.

»Wo bin ich, Little Dog?« Du bist Rose. Du bist Lan. Du bist Trevor. Als ob ein Name mehr als ein Ding sein kann, tief und weit wie eine Nacht mit einem Lastwagen, der im Leerlauf an ihrem Rand steht, und du einfach aus deinem Käfig heraustreten kannst, wo ich auf dich warte. Wo wir unter den Sternen, im Licht längst verstorbener Dinge, endlich sehen, was wir aus einander gemacht haben – und es gut nennen.

CH ERINNERE MICH an den Tisch. Ich erinnere mich an den Tisch aus Worten, mir übergeben aus deinem Mund. Ich erinnere mich an das brennende Zimmer. Das Zimmer brannte, weil Lan von Feuer sprach. Ich erinnere mich an das Feuer, wie es mir in der Wohnung in Hartford erzählt wurde, wo wir alle auf dem Holzboden schliefen, eingewickelt in Decken von der Heilsarmee. Ich erinnere mich an den Mann von der Heilsarmee, der meinem Vater eine Handvoll Gutscheine für Kentucky Fried Chicken gab, das wir Alter-Mann-Chicken nannten (jeder rote Eimer war mit Colonel Sanders' Gesicht zugepflastert). Ich erinnere mich, wie ich über das knusprige Fleisch und Fett herfiel, als wäre es eine Heiligengabe. Ich erinnere mich, wie ich lernte, dass Heilige die einzigen Menschen sind, deren Schmerz bemerkenswert ist, bemerkt wird. Ich erinnere mich, dass ich dachte, du und Lan sollten Heilige sein.

»Denk dran«, hast du jeden Morgen gesagt, bevor wir in die kalte Luft Connecticuts hinaustraten, »fall nicht auf. Du bist schon vietnamesisch.«

ES IST DER erste Augusttag, und der Himmel ist klar über Mittelvirginia, das jetzt vor sommerlicher Reife blüht. Wir besuchen Grandpa Paul, um meinen College-Abschluss im Frühling zu feiern. Wir sind im Garten. Die ersten Farben des Abends fallen auf den Holzzaun, und alles ist in Bernstein gegossen, als befänden wir uns in einer mit Tee gefüllten Schneekugel. Du bist vor mir, entfernst dich auf den hinteren Zaun zu, deine rosa Bluse changiert in dem Licht. Sie verfängt sich in den Schatten unter den Eichen, löst sich dann daraus.

ICH ERINNERE MICH an meinen Vater, das heißt, ich setze ihn wieder zusammen. Ich setze ihn in einem Zimmer zusammen, weil es ein Zimmer gegeben haben muss. Es muss ein Quadrat gegeben haben, in dem sich kurz ein Leben, freudig oder freudlos, ereignete. Ich erinnere mich an Freude. Es war der Klang von Münzen in einer braunen Papiertüte: sein Lohn nach einem Tag Fische-Entschuppen auf dem chinesischen Markt in der Cortland. Ich erinnere mich an die auf den Boden geschütteten Münzen, wie wir mit den Fingern durch die kalten Stücke fuhren, ihr Kupferversprechen einatmeten. Wie wir dachten, wir wären reich. Wie der Gedanke an Reichtum eine Form von Glück war.

Ich erinnere mich an den Tisch. Wie er aus Holz gewesen sein muss.

DER GARTEN IST so üppig, dass er in dem schwachen Licht zu pulsieren scheint. Pflanzen nehmen jeden Zentimeter davon ein, Tomatenranken, die robust genug sind, um den Hühnerdraht zu verbergen, an dem sie emporwachsen, Weizengras und Grünkohl, dicht gedrängt in verzinkten Kübeln von der Größe eines Kanus. Die Blumen, die ich jetzt beim Namen kenne: Magnolien, Astern, Mohn, Ringelblumen, Gipskraut – alles, jeder Farbton in der Dämmerung gleich.

Was sind wir, wenn nicht das, was das Licht von uns behauptet?

Deine rosa Bluse schimmert vor mir. Zusammengekauert,

dein Rücken verharrt kurz, als du etwas auf der Erde zwischen deinen Füßen betrachtest. Du streichst dir das Haar hinter die Ohren, hältst inne, siehst es dir näher an. Nur die Sekunden bewegen sich zwischen uns.

Ein Mückenschwarm, ein Schleier, der über einem unsichtbaren Gesicht hängt. Alles hier hat den Anschein, als wäre es über die Ufer getreten und soeben verebbt, endlich ruhend, versiegt und verschüttet vom Überschäumen des Sommers. Ich gehe auf dich zu.

ICH ERINNERE MICH daran, wie ich mit dir zum Lebensmittelgeschäft ging, der Lohn meines Vaters in deinen Händen. Wie er dich bis dahin erst zweimal geschlagen hatte – es gab also immer noch Hoffnung, dass es das letzte Mal wäre. Ich erinnere mich an Arme voll Wonder Bread und Mayogläser, wie du dachtest, Mayo sei Butter, wie Butter und Weißbrot in Saigon nur in Villen gegessen wurden, die von Butlern und Stahltoren bewacht wurden. Ich erinnere mich, dass daheim alle lächelten, während sie Mayonnaise-Sandwiches an rissige Lippen hoben. Ich erinnere mich, dass ich dachte, wir würden in einer Art Villa wohnen.

Ich erinnere mich, dass ich dachte, dies sei der amerikanische Traum, während Schnee am Fenster knisterte und die Nacht anbrach und wir uns mit verschlungenen Gliedern nebeneinander zum Schlafen hinlegten, während die Sirenen durch die Straßen heulten, unsere Bäuche voll mit Brot und »Butter«.

Drinnen in der Küche beugt sich Paul über eine Schüssel Pesto: dicke, glänzende Basilikumblätter, mit der Machete zerdrückte Knoblauchzehen, Pinienkerne, Zwiebeln, so lange geröstet, bis sich ihre goldenen Ränder geschwärzt haben, der frische Duft von Zitronenschale. Seine Brille beschlägt, als er sich vorlehnt, seine arthritische Hand mühsam stillhaltend, und die dampfende Pasta über das Gemisch kippt. Ein paarmal behutsam mit zwei Holzlöffeln umgerührt, und die Schmetterlingsnudeln sind in eine moosgrüne Sauce getaucht.

Die Fenster in der Küche sind beschlagen, der Blick auf den Garten ersetzt durch eine leere Kinoleinwand. Es ist Zeit, den Jungen und seine Mutter hereinzurufen. Aber Paul lässt sich einen Moment Zeit, betrachtet die leere Leinwand. Ein Mann mit nichts in seinen Händen, endlich, der darauf wartet, dass alles anfängt.

Ich erinnere mich an den Tisch, das heißt, ich setze ihn zusammen. Weil jemand den Mund geöffnet und mit Worten ein Gerüst errichtet hat, und jetzt mache ich es jedes Mal auch so, wenn ich meine Hände sehe und *Tisch* denke, *Anfänge* denke. Ich erinnere mich, wie ich mit den Fingern an den Kanten entlangfuhr, die Schrauben und Dichtungsringe erforschte, die ich in meiner Vorstellung erschaffen hatte. Ich erinnere mich, wie ich daruntergekrabbelt bin, um nach altem Kaugummi zu sehen, den Namen Angebeteter, aber nur etwas getrocknetes Blut und Holzsplitter fand. Ich erinnere mich an diesen Vierbeiner, aus einer Sprache gemeißelt, die noch nicht meine eigene war.

EIN SCHMETTERLING, ROSAROT angehaucht von der Stunde, lässt sich auf einem Mariengrashalm nieder, huscht dann fort. Der Halm zuckt einmal, steht still. Der Schmetterling taumelt durch die ganze Länge des Gartens; seine Flügel gleichen dem Eselsohr in Toni Morrisons *Sula*, das ich so oft umgeknickt hatte, dass das winzige Ohr eines Morgens in New York abriss und die nass glänzende Winterallee hinabflatterte. Es war die Passage, wo Eva Benzin über ihren drogensüchtigen Sohn schüttet und das Streichholz in einem Akt der Liebe und Gnade anreißt, von dem ich hoffe, dass ich dessen fähig bin – und es doch nie erfahren muss.

Ich kneife die Augen zusammen. Es ist kein Monarchfalter – lediglich ein schwacher, verschwommen weißer Fleck, der wohl im ersten Frost verschwinden wird. Doch ich weiß, die Monarchen sind ganz in der Nähe, ihre orangeschwarzen Flügel gefaltet, bestäubt und von Hitze ausgedörrt, im Begriff, in den Süden zu fliehen. Faden um Faden stickt das Zwielicht unsere Umrisse tiefrot.

EINES NACHTS IN Saigon, zwei Tage nachdem wir Lan beerdigt hatten, hörte ich den Klang blecherner Musik und die aufgekratzten Stimmen von Kindern über den Hotelbalkon hereindringen. Es war kurz vor zwei Uhr morgens. Du lagst noch schlafend auf der Matratze neben mir. Ich stand auf, schlüpfte in meine Sandalen und ging hinaus. Das Hotel befand sich in einer schmalen Gasse. Während meine Augen sich auf das Licht der Leuchtröhren entlang der Mauer einstellten, steuerte ich auf die Musik zu.

Die Nacht flammte vor mir auf. Menschen waren plötzlich überall, ein Kaleidoskop aus Farben, Stoffen, Gliedmaßen, das

Glitzern von Schmuck und Pailletten. Händler verkauften frische Kokosnüsse, geschnittene Mango, Reiskuchen, in großen Metallbottichen gedämpft, die klebrigen Klumpen dann in Bananenblätter gewickelt, Zuckerrohrsaft, der in Plastiktüten mit abgeschnittenen Ecken angeboten wurde, eine jetzt in der Hand eines Jungen, der strahlend an dem Plastik lutschte. Ein Mann, dessen Arme von der Sonne beinahe schwarz waren, hockte auf der Straße. Er war an einem Schneidebrett, kaum größer als seine Hand, damit beschäftigt, ein gebratenes Hähnchen mit einem einzigen geübten Schlag des Hackbeils zu halbieren, und verteilte dann die glitschigen Bissen unter dem Schwarm wartender Kinder.

Unter Lichterketten, die zwischen Balkonen auf beiden Seiten der Straße durchhingen, sah ich flüchtig eine behelfsmäßige Bühne. Darauf tanzten festlich gekleidete Frauen im Kreis, ihre Arme farbenfrohe Banner im Wind, und sangen Karaoke. Ihre Stimmen verstummten und trieben die Straße hinab. In der Nähe zeigte ein kleiner Fernseher auf einem weißen Plastiktisch den Text zu einem vietnamesischen Popsong aus den Achtzigern an.

Du bist schon vietnamesisch.

Ich drückte mich näher heran, immer noch schlaftrunken. Es war, als hätte die Stadt vergessen, wie spät es war – oder vielmehr die Zeit selbst vergessen. Soweit ich wusste, war kein Feiertag, kein Grund zum Jubel. Tatsächlich waren gleich hinter der Gasse, wo die Hauptstraße begann, die Straßen leer, still, wie sie es zu dieser Stunde sein sollten. Der ganze Trubel beschränkte sich auf einen einzigen Block. Wo Menschen jetzt lachten und sangen. Kinder, manche nicht älter als fünf, rannten zwischen den sich wiegenden Erwachsenen herum. Großmütter in Schlafanzügen mit Paisley- und Blumenmustern saßen auf Zahnstochern kauend auf Plastikschemeln an Eingängen, nickten mit den Köpfen zur Musik und unterbrachen sich nur, um die Kinder in der Nähe anzuschreien.

In der Erde ist Lan *schon vietnamesisch.*

Erst als ich so nahe war, dass ich ihre Gesichtszüge erkennen konnte, die vorspringenden und groben Kieferpartien, die flachen markanten Stirnen, erkannte ich, dass es Sänger in Frauenkleidern waren. Ihre paillettenbesetzten Kostüme unterschiedlicher Schnitte und Primärfarben funkelten so hell, dass es war, als wären sie in leibhaftig verkleinerte Sterne gekleidet.

Ich erinnere mich an meinen Vater, das heißt, ich lege ihm die Handschellen dieser kleinen Worte an. Ich übergebe ihn dir mit den Händen hinter dem Rücken, und sein Kopf taucht in den Streifenwagen, weil mir dies so, wie der Tisch, gegeben wurde: von Lippen, die nie die Laute in einem Buch artikuliert haben.

Rechts von der Bühne standen vier Menschen, die allen anderen den Rücken gekehrt hatten. Mit gesenkten Köpfen waren sie die Einzigen, die sich nicht bewegten – wie von einem unsichtbaren Zimmer eingeschlossen. Sie starrten etwas auf einem langen Plastiktisch vor sich an, ihre Köpfe hingen so tief, dass sie wie enthauptet aussahen. Nach einer Weile legte eine von ihnen, eine Frau mit ergrautem Haar, ihren Kopf an die Schulter des jungen Mannes zu ihrer Rechten – und fing an zu weinen.

Ich erinnere mich an einen Brief meines Vaters aus dem Gefängnis, der Umschlag verknittert, an den Rändern eingerissen. Ich erinnere mich, wie ich ein vollgeschriebenes Blatt Papier hochhielt, Zeile um Zeile mit Tipp-Ex gelöscht, wo die Gefängniswärter seine Worte zensiert hatten. Ich erinnere mich, wie ich an dem kreidigen Film kratzte, der zwischen meinem Vater und mir lag. Diese Worte. Muttern und Bolzen für einen Tisch. Ein Tisch in einem Zimmer ohne Menschen.

Ich trat näher, und da sah ich auf dem Tisch, bedeckt von einem weißen Laken und unfassbar still, die unverkennbaren Umrisse eines Körpers. Inzwischen weinten alle vier Trauernden ungehemmt, während die Fistelstimmen der Sänger auf der Bühne durch ihre heftig schüttelnden Schluchzer schnitten.

Mit flauem Magen suchte ich den sternenlosen Himmel ab. Ein Flugzeug blinkte rot, dann weiß, dann verschwamm es hinter einem Wolkenband.

Ich erinnere mich, wie ich den Brief meines Vaters sorgfältig betrachtete und hier und da kleine schwarze Pünktchen entdeckte: die unberührt gebliebenen Satzpunkte. Eine Mundart der Stille. Ich erinnere mich, wie ich dachte, dass alle, die ich je geliebt hatte, einzelne schwarze Punkte auf einer hellen Seite seien. Ich erinnere mich, wie ich Linien zwischen den Punkten zog, jede mit einem Namen versehen, bis ich schließlich einen Stammbaum vor mir hatte, der eher einem Stacheldrahtzaun glich. Ich erinnere mich, dass ich ihn in Fetzen riss.

Später erfuhr ich, dass es sich um einen ganz alltäglichen Anblick in einer Saigoner Nacht handelte. Die unterbezahlten Leichenbeschauer der Stadt arbeiteten nicht immer rund um die Uhr. Wenn jemand mitten in der Nacht starb, blieb er in einer Art kommunalem Niemandsland stecken, wo der Leichnam innerhalb seines Todes verharrte. Daraufhin bildeten sich Graswurzelbewegungen zum gemeinschaftlichen Trost. Wenn sie von einem plötzlichen Tod erfuhren, legten Nachbarn in weniger als einer Stunde zusammen und heuerten eine Truppe Travestiekünstler für etwas an, das »Trauer aufschieben« genannt wurde.

In Saigon sind die Geräusche von Musik und spielenden Kindern so spät in der Nacht ein Zeichen für Tod – oder mehr noch ein Zeichen für eine Gemeinschaft, die zu heilen versucht. Es geschieht durch die schrillen Kostüme und Gebärden der Travestiekünstler, ihre überzeichneten Gesichter und Stimmen, ihren tabuisierten Verstoß gegen Geschlechtergrenzen, dass sich in aufwendigem Spektakel diese Linderung ausdrückt. So wertvoll sie sind – bezahlt und als unverzichtbare Dienstleistung in einer Gesellschaft legitimiert, in der queer zu sein immer noch als Sünde gilt –, sind die Dragqueens, solange die Toten im Freien liegen, eine gesellschaftlich ausgegrenzte Darbietung. Es ist ihre mutmaßlich unzweifelhafte Falschheit, die ihre Gegenwart in den Augen der Trauernden notwendig macht. Weil Trauer im schlimmsten Fall unwirklich ist. Und sie nach einem surrealen Echo verlangt. Die Queens sind – so gesehen – Einhörner.

Einhörner, die auf einem Friedhof aufstampfen.

ICH ERINNERE MICH an den Tisch. Wie Flammen anfingen, an seinen Kanten hochzulecken.

Ich erinnere mich an mein erstes Thanksgiving. Ich war bei Junior. Lan hatte mir einen Teller gebratene Frühlingsrollen zum Mitbringen gemacht. Ich erinnere mich an ein Haus, das sich mit über zwanzig Menschen füllte. Menschen, die beim Lachen auf den Tisch schlugen. Ich erinnere mich daran, wie Essen auf meinen Teller gehäuft wurde: Kartoffelpüree, Truthahn, Maisbrot, Chitterlings, Grünzeug, Süßkartoffelkuchen und – Frühlingsrollen. Wie alle Lans Frühlingsrollen lobten, während sie sie in Bratensaft tunkten. Wie auch ich sie in Bratensaft tauchte.

Ich erinnere mich, dass Juniors Mutter einen schwarzen Plastikkreis auf einen Holzapparat legte. Wie der Kreis sich drehte und drehte, bis Musik geschah. Wie Musik der Klang einer klagenden Frau war. Wie alle die Augen schlossen und den Kopf neigten, als lauschten sie einer geheimen Botschaft. Ich erinnere mich, wie ich dachte, dass ich das schon einmal gehört hatte, von meiner Mutter und Großmutter. Ja. Selbst im Mutterleib hatte ich es gehört. Es war das vietnamesische Wiegenlied. Wie jedes Wiegenlied mit einer Klage begann, als ob Schmerzen sich nicht anders vom Körper lösen könnten. Ich erinnere mich, dass ich mich wiegte, während ich der schmachtenden Stimme meiner Großmutter aus dem Apparat lauschte. Wie Juniors Vater mir auf die Schulter klopfte. »Woher kennst du denn Etta James?« Ich erinnere mich an Zufriedenheit.

Ich erinnere mich an mein erstes Jahr an einer amerikanischen Schule, den Ausflug zu der Farm, und wie Mr Zappadia hinterher jedem Schüler die Schwarz-Weiß-Kopie einer Kuh aushändigte. »Malt aus, was ihr heute gesehen habt«, sagte er. Ich erinnere mich, dass ich gesehen hatte, wie traurig die Kühe auf dem Hof gewesen waren, ihre großen Köpfe hinter elektrischen Zäunen eingelullt. Und weil ich sechs war, erinnere ich mich, dass ich dachte, Farbe sei eine Form von Fröhlichkeit. Und so nahm ich die lebhaftesten Farben aus der Buntstiftkiste und füllte meine traurige Kuh mit Lila, Orange, Rot, Tizian, Magenta, Schiefer, Fuchsia, Glitzergrau, Limonengrün.

Ich erinnere mich, wie Mr Zappadia brüllte, sein Bart über mir schlotternd, als seine haarige Hand meine Regenbogenkuh ergriff und zwischen den Fingern zerknüllte. »Ich habe gesagt, malt aus, was ihr *gesehen* habt.« Ich erinnere mich, dass ich wieder von vorn anfangen musste. Ich erinnere mich daran, wie ich meine Kuh leer ließ und aus dem Fenster starrte. Wie der Himmel blau und unbarmherzig war. Wie ich dasaß, unter Gleichaltrigen – unwirklich.

Auf dieser Straße, neben dem toten Menschen, der in seiner Reglosigkeit irgendwie belebter war als die Lebenden selbst, dem ewigen Abwasser- und Abflussgestank aus dem Rinnstein, verschwamm meine Sicht, und die Farben sammelten sich unter meinen Lidern. Passanten nickten mir mitfühlend zu, im Glauben, ich sei ein Angehöriger. Als ich mir über das Gesicht rieb, packte ein mittelalter Mann meinen Nacken, wie vietnamesische Väter oder Onkel es tun, wenn sie einem ihre eigene Stärke einflößen wollen. »Du wirst sie wiedersehen. He, he«, krächzte seine Stimme, streng vor Alkohol, »du wirst sie sehen.« Er klopfte mir auf den Nacken. »Nicht weinen. Nicht weinen.«

DIESER MANN. DIESER Weiße. Dieser Paul, der die hölzerne Gartenpforte aufschwingt, der Metallriegel hinter ihm klirrend, ist nicht mein Großvater durch Blutsverwandtschaft – aber durch Lebensgeschichte.

Warum meldete er sich freiwillig für Vietnam, als so viele Jungen nach Kanada pilgerten, um der Einberufung zu entgehen? Ich weiß, dass er es dir nie erzählt hat – weil er seine abstrakte und unversöhnliche Liebe zur Trompete in einer Sprache erklären müsste, in der er sich nur verheddern würde. Wie er nach eigener Aussage »ein weißer Miles Davis« aus den Hinterwäldern und Maisfeldern des ländlichen Virginia werden wollte. Wie die üppigen Trompetenklänge durch das zweistöckige Farmhaus seiner Kindheit schallten. Das Haus mit den sauber abgerissenen Türen von einem Vater, der durch die

Zimmer tobte und seine Familie tyrannisierte. Dem Vater, dessen einzige Verbindung zu Paul Metall war: die Patrone, die noch von dem Tag, als er Omaha Beach gestürmt hatte, im Gehirn seines Alten steckte; das Messing, das Paul an seine Lippen hob, um Musik zu machen.

Ich erinnere mich an den Tisch. Wie ich versuchte, ihn dir zurückzugeben. Wie du mich im Arm hieltest und mein Haar streicheltest und sagtest: »Na, na. Ist schon gut. Ist schon gut.« Aber das ist eine Lüge.

Es lief eher so: Ich gab dir den Tisch, Ma – das heißt, ich überreichte dir meine Regenbogenkuh, die ich aus dem Papierkorb gefischt hatte, als Mr Zappadia gerade nicht hinsah. Wie die Farben in deinen Händen zerflossen und knitterten. Wie ich versuchte, es dir zu sagen, aber keine Sprache hatte, die du verstehen würdest. Verstehst du? Ich war eine klaffende Wunde im Herzen Amerikas, und du warst in mir und fragtest: *Wo sind wir? Wo sind wir, mein Kleines?*

Ich erinnere mich, dass ich dich lange ansah und, weil ich sechs war, dachte, ich könnte meine Gedanken einfach in deinen Kopf übertragen, wenn ich nur entschlossen genug starrte. Ich erinnere mich an Tränen der Wut. Wie du keinen Schimmer hattest. Wie deine Hand trotzdem unter mein Shirt wanderte und mir den Rücken kraulte. Ich erinnere mich, wie ich so, beruhigt, einschlief – während sich meine zerdrückte Kuh wie eine Farbbombe in Zeitlupe über den Nachttisch fächerte.

Paul spielte Musik, um zu entkommen – und als sein Alter seine Bewerbung für die Musikschule in Fetzen riss, kam Paul sogar noch weiter weg, den ganzen Weg bis zum Musterungsamt, und fand sich mit neunzehn in Südostasien wieder.

Es heißt, dass nichts ohne Grund passiert – aber ich kann

dir nicht sagen, warum die Toten den Lebenden immer zahlen-
mäßig überlegen sind.

Ich kann dir nicht sagen, warum manche Monarchfalter auf
ihrem Zug nach Süden einfach nicht mehr weiterfliegen, ihre
Flügel auf einmal zu schwer, nicht mehr ganz die eigenen –
und sich abwenden, sich selbst aus der Geschichte streichen.

Ich kann dir nicht sagen, warum ich auf jener Straße in Saigon, wo die Leiche unter dem Laken lag, nicht das Lied in der
Kehle der Travestiesänger hörte, sondern weiterhin das Lied in
meiner eigenen. »*Many men, many, many, many, many men.
Wish death 'pon me.*« Die Straße pulsierte und ließ ihre Farb-
fetzen um mich her schwirren.

Im Getümmel bemerkte ich, dass die Leiche sich bewegt
hatte. Der Kopf war auf eine Seite gefallen und zog das Laken
mit sich, enthüllte einen Nacken – bereits bleich. Und dort, direkt unter dem Ohr, nicht größer als ein Fingernagel, baumelte ein Jadeohrring, stand dann still. »*Lord I don't cry no more,
don't look to the sky no more. Have mercy on me. Blood in my eye
dawg and I can't see.*«

ICH ERINNERE MICH, wie du mich an der Schulter packtest. Wie
der Regen in Strömen herabkam, oder es schneite, oder die
Straßen überflutet waren, oder der Himmel die Farbe von Blut-
ergüssen hatte. Und du knietest auf dem Gehweg, schnürtest
meine puderblauen Schuhe und sagtest: »Denk dran. Denk
dran. Du bist schon bereits vietnamesisch.« Du bist schon bereits. Du bist schon bereit.

Schon weg.

Ich erinnere mich an den Bürgersteig, wie wir den rostigen
Wagen zur Kirche und Suppenküche in der New Britain Ave-

nue schoben. Ich erinnere mich an den Bürgersteig. Wie er anfing zu bluten: kleine Rougetropfen, die unter dem Wagen hervorquollen. Wie vor uns eine Blutspur war. Und hinter uns. Jemand musste in der Nacht zuvor erschossen oder erstochen worden sein. Wie wir weitergingen. Du sagtest:»Sieh nicht hin, Liebes. Sieh nicht hin.« Die Kirche so weit weg. Der Kirchturm ein Nadelstich im Himmel.»Sieh nicht hin. Sieh nicht hin.«

Ich erinnere mich an Rot. Rot. Rot. Rot. Deine Hände nass über meinen. Rot. Rot. Rot. Rot. Deine Hand so heiß. Deine Hand meine eigene. Ich erinnere mich, wie du sagtest:»Little Dog, sieh mal. Sieh nach oben. Siehst du? Siehst du die Vögel in den Bäumen?« Ich erinnere mich, dass es Februar war. Die Bäume waren schwarz und kahl vor einem verhangenen Himmel. Aber du fuhrst fort:»Schau! Die Vögel. So viele Farben. Blaue Vögel. Rote Vögel. Purpurvögel. Glitzervögel.« Dein Finger zeigte auf die gewundenen Äste.»Siehst du nicht das Nest mit den gelben Küken, und die grüne Mutter, die sie mit Würmern füttert?«

Ich erinnere mich, wie sich deine Augen weiteten. Ich erinnere mich, wie ich endlos auf die Spitze deines Fingers starrte, bis schließlich ein verschwommener smaragdgrüner Fleck in die Wirklichkeit hineinblühte. Und ich sah sie. Die Vögel. Sah sie alle. Wie sie Früchten gleich reiften, während sich dein Mund öffnete und schloss und die Worte nicht aufhörten, die Bäume bunt anzumalen. Ich erinnere mich, dass ich das Blut vergaß. Ich erinnere mich, dass ich kein einziges Mal hinsah.

Ja, es gab einen Krieg. Ja, wir kamen aus seinem Auge. In diesem Krieg schenkte sich eine Frau einen neuen Namen – Lan –, erklärte sich durch diese Namensgebung selbst für schön und erschuf aus der Schönheit etwas, das seiner Bewahrung wert war. Daraus wurde eine Tochter geboren und von der Tochter ein Sohn.

Diese ganze Zeit über habe ich mir gesagt, dass wir aus dem Krieg geboren wurden – aber ich habe mich geirrt, Ma. Wir wurden aus Schönheit geboren.

Niemand soll glauben, wir seien die Frucht der Gewalt – sondern dass Gewalt, die durch die Frucht hindurchgegangen ist, sie nicht verderben konnte.

PAUL IST HINTER mir am Gartentor und zwackt ein Büschel Minzblätter ab, mit dem er das Pesto garnieren will. Seine Schere schnipst an den Halmen. Ein Eichhörnchen flitzt einen Ahorn in der Nähe hinunter, stoppt an den Wurzeln, schnuppert, schlägt dann einen Haken zurück und verschwindet nach oben in die Äste.

Du bist direkt vor mir, als ich mich nähere; mein Schatten berührt deine Fersen.

»Little Dog«, sagst du, ohne dich umzudrehen, die Sonne ist längst aus dem Garten geschwunden, »komm her und sieh dir das an.« Du deutest auf den Boden vor dir, deine Stimme ein überlautes Flüstern. »Ist das nicht verrückt?«

Ich erinnere mich an das Zimmer. Wie es brannte, weil Lan im Kreis ihrer Töchter von Feuer sang. Aufsteigender Rauch, der sich in den Ecken sammelte. Der Tisch in der Mitte ein helles Lodern. Die Frauen mit geschlossenen Augen und die Worte unerbittlich. Die Wände eine bewegte Leinwand abrollender Bilder, während jeder Vers zum nächsten herabstieg: eine sonnenbeschienene Kreuzung in einer Stadt, die nicht länger ist. Eine Stadt ohne Namen. Ein Weißer, der mit seiner schwarzhaarigen Tochter auf dem Arm neben einem Panzer steht. Eine

Familie, die in einem Bombenkrater schläft. Eine Familie, die sich unter einem Tisch versteckt. Verstehst du? Alles, was mir gegeben wurde, war ein Tisch. Ein Tisch anstelle eines Hauses. Ein Tisch anstelle von Geschichte.

»In Saigon gab es ein Haus«, hast du mir einmal erzählt. »Eines Nachts ist dein Vater betrunken heimgekommen und hat mich am Küchentisch zum ersten Mal geschlagen. Du warst noch nicht auf der Welt.«

ABER ICH ERINNERE mich trotzdem an den Tisch. Er existiert und existiert nicht. Ein Erbe, angehäuft mit bloßen Mündern. Und Substantiven. Und Asche. Ich erinnere mich an den Tisch als eine Scherbe, die sich im Gehirn eingenistet hat. Wie manche sie Granatsplitter nennen. Und manche nennen sie Kunst.

Ich bin jetzt an deiner Seite, als du auf den Boden zeigst, wo direkt vor deinen Zehen ein Ameisenstaat über die Erde strömt, eine Flut schwarzen Treibens, so dicht, dass es wirkt wie der Schatten eines Unsichtbaren. Ich kann die einzelnen Tiere nicht erkennen, ihre Körper sind in einer unaufhörlichen Brandung der Berührung aneinandergekettet, jeder sechsbeinige Buchstabe blauschwarz in der Abenddämmerung – Fraktale eines verwitterten Alphabets. Nein, es sind keine Monarchfalter. Es sind diejenigen, die den Winter über bleiben werden, ihr Fleisch in Samen verwandeln und tiefer graben – nur um ausgehungert durch den warmen Frühlingslehm zu stoßen.

Ich erinnere mich, dass die Wände sich wie Segel kräuselten, während das Feuer lichterloh brannte. An der Zimmerdecke ein Wogen aus schwarzem Rauch. Ich erinnere mich, dass ich zum Tisch hinüberkroch, wie dieser jetzt ein Haufen Ruß war, und dann meine Finger hineintauchte. Meine Nägel, die sich schwarz färbten von meinem Land. Meinem Land, das sich auf meiner Zunge auflöste. Ich erinnere mich, wie ich Asche mit der hohlen Hand schöpfte und die Worte *lebe lebe lebe* auf die Stirnen der drei Frauen schrieb, die im Zimmer saßen. Wie sich die Asche eines Tages zu Tinte auf einer leeren Seite verhärtete. Wie Asche auf ebendieser Seite ist. Wie es genug davon für alle gibt.

Du richtest dich auf, klopfst deine Hose ab. Die Nacht laugt alle Farben aus dem Garten. Schattenlos gehen wir auf das Haus zu. Drinnen, im schimmernden Licht von Lampenschirmen, krempeln wir die Ärmel hoch, waschen unsere Hände. Wir sprechen, darauf bedacht, uns nicht zu lange anzusehen – dann, wenn keine Worte mehr zwischen uns übrig sind, decken wir den Tisch.

ICH HÖRE ES im Traum. Dann, als ich die Augen öffne, höre ich es wieder – das leise Klagen, das über den verwüsteten Feldern niedergeht. Ein Tier. Immer ist es ein Tier, dessen Schmerz so klar, so deutlich ist. Ich liege auf dem kühlen Lehmfußboden der Scheune. Über mir hängen Reihen von Tabak, und die Blätter streifen in einem einsamen Lufthauch aneinander – was bedeutet, es ist die dritte Augustwoche. Durch die Latten ein neuer Tag, bereits schwer von Sommerhitze. Der Laut kehrt zurück, und diesmal setze ich mich auf. Erst als ich ihn sehe, weiß ich, dass ich wieder fünfzehn bin. Trevor schläft neben mir. Auf der Seite, sein Arm als Kissen, wirkt er eher in Gedanken als in Schlaf versunken. Sein Atem langsam und entspannt, versetzt mit einem Stich von dem Pabst, das wir vor ein paar Stunden getrunken haben; die leeren Dosen stehen aufgereiht auf der Bank über seinem Kopf. Ein paar Schritte weiter liegt der umgedrehte Stahlhelm, in der Schüssel sammelt sich pudrig blau das Morgenlicht.

Noch in Boxershorts gehe ich hinaus in den weiten Dunst. Das Heulen kommt wieder, der Klang tief und hohl, als hätte er Wände, etwas, in dem man sich verstecken kann. Es muss verwundet sein. Nur etwas, das Schmerzen leidet, kann einen Ton hervorbringen, in den man eintreten kann.

Ich suche mit den Augen die kahl geschlagenen Felder ab; dichter Nebel zieht über die braune und geschändete Erde. Nichts. Es kommt sicher von der nächsten Farm. Ich laufe, die Feuchtigkeit nimmt zu, meine Schläfen jucken vor frischem Schweiß.

Auf dem nächsten Feld ragt der letzte Tabak, dicht und dunkelgrün, noch eine Woche von der Ernte entfernt, rings um mich auf – irgendwie höher als gewohnt, die Blütenstände knapp über meinem Kopf. Da ist die Eiche, an der wir in zwei Wochen den Chevy zu Schrott fahren werden. Die Grillen müssen erst noch ihre Beine auseinanderfalten und jetzt die drückende Luft zersägen, während ich tiefer hineingehe, jedes Mal innehalte, wenn das Brüllen aufbrandet, lauter, näher.

Letzte Nacht, unter den Sparren, unsere Lippen wund und kraftlos von ihrem Tun, lagen wir, atmeten. Mit der dunklen Stille zwischen uns fragte ich Trevor, was mich Lan in der Woche zuvor gefragt hatte.

»Denkst du je an die Büffel auf dem Discovery Channel? Ich meine, wie sie dauernd von diesen Klippen runterrennen?«

Er wandte sich um, sein Lippenflaum streifte mich. »Die Büffel?«

»Ja, wieso rennen sie so weiter, selbst wenn die vor ihnen runterfallen? Man denkt doch, dass vielleicht einer anhält, umdreht.«

Seine Hand, gebräunt von der Arbeit, ist überraschend dunkel auf seinem Bauch. »Ja. Ich hab die in den Natursendungen gesehen. Sie plumpsen einfach wie eine Ladung Ziegelsteine, bis ganz runter.« Er schnalzte verächtlich mit der Zunge, aber seine Stimme nickte weg. »Schwachköpfe.«

Wir waren still und ließen die Büffel weiter abstürzen, Hunderte von ihnen, die schweigend über die Klippen in unseren Köpfen trotteten. Irgendwo auf dem nächsten Feld fuhr ein Pick-up in eine Auffahrt, Kies unter den Reifen, ein Lichtstrahl schwenkte gegen die Scheune und beleuchtete den Staub über unseren Nasen, seinen geschlossenen Augen – Augen, von denen ich inzwischen wusste, dass sie nicht mehr grau waren – sondern Trevor. Die Tür schlug zu, und jemand kam nach Hause, leise Stimmen waren zu hören, die knappe Satzmelodie einer Frage, die aufstieg: »Wie war's?« oder »Hast du Hunger?« Etwas Schlichtes und Notwendiges, aber mehr, mit Bedacht, eine Stimme wie diese winzigen Dächer über den Telefonzellen an den Bahngleisen, die aus den gleichen Schindeln wie Häuser hergestellt werden, aber nur vier Reihen breit sind – gerade genug, um das Telefon vor Nässe zu schützen. Und vielleicht wollte ich ja gar nicht mehr als das – eine Frage, von der ich mich beschirmen lassen konnte wie ein Dach von der Breite meiner selbst.

»Es hängt nicht von ihnen ab«, sagte Trevor.

»Was denn?«

»Die Scheißbüffel.« Er schnipste gegen die Metallschnalle seines Gürtels. »Hängt nicht von ihnen ab, wo sie hingehen. Das ist Mutter Natur. Sie sagt zu denen: Springt, und sie gehen hin und machen's. Sie haben keine Wahl. Das ist einfach das Gesetz der Natur.«

»Das Gesetz«, wiederholte ich murmelnd. »Also, dass sie eben einfach ihren Liebsten folgen, dass ihre Familie vorausgeht, und sie gehen mit?«

»Ja, so ungefähr«, sagte er schläfrig. »Wie eine Familie. Eine Familie, die voll im Arsch ist.«

Da und dort fühlte ich dieses plötzliche Aufwallen von Zärtlichkeit für ihn, zu jener Zeit ein so seltenes Gefühl in mir, dass es mir vorkam, als würde ich davon verdrängt. Bis Trevor mich zurückriss.

»Hey«, sagte er im Halbschlaf, »was warst du, bevor du mich getroffen hast?«

»Ich glaube, ich war am Ertrinken.«

Eine Pause.

»Und was bist du jetzt?«, flüsterte er versinkend.

Ich dachte einen Moment nach. »Wasser.«

»Leck mich.« Er boxte mir gegen den Arm. »Und jetzt schlaf, Little Dog.« Dann wurde er still.

Dann seine Wimpern. Man konnte sie denken hören.

ICH WEISS NICHT, warum ich der Stimme des verletzten Wesens folgte, aber es riss mich fort, als hätte man mir die Antwort auf eine Frage versprochen, die ich noch nicht besessen hatte. Es heißt, wenn man etwas nur genug will, macht man am Ende einen Gott daraus. Aber was, wenn alles, was ich je wollte, mein Leben war, Ma?

Ich denke wieder an Schönheit, daran, wie manche Dinge gejagt werden, weil wir sie als schön empfinden. Wenn ein einzelnes Leben, verglichen mit der Geschichte unseres Planeten, so kurz ist – ein Wimpernschlag, wie man sagt –, dann bedeutet schön zu sein, grandios zu sein, selbst von der Geburt an bis zum Todestag, nur *kurz* grandios zu sein. Wie jetzt gerade, wo sich die Sonne niedrig hinter den Ulmen abzeichnet und ich nicht sagen kann, ob sie auf- oder untergeht. Die Welt, die sich rot färbt, erscheint mir als dieselbe – und ich weiß nicht mehr, wo Ost und West sind. Die Farben an diesem Morgen wirken durchscheinend wie etwas, das bereits im Verschwinden begriffen ist. Ich denke daran, wie Trev und ich damals auf dem Dach des Werkzeugschuppens saßen und den Sonnenuntergang betrachteten. Ich war weniger über die Wirkung überrascht – dass die Sonne in wenigen gedrängten Minuten verändert, wie Dinge gesehen werden, einschließlich uns selbst – als darüber, dass ich es jemals zu Gesicht bekam. Weil der Sonnenuntergang, wie das Überleben, nur am Rande seines eigenen Verschwindens existiert. Um schön zu sein, musst du erst gesehen werden – aber wenn du gesehen wirst, wirst du vielleicht auch gejagt.

ICH HÖRE SIE wieder rufen, jetzt überzeugt, dass es eine Färse ist. Häufig verkaufen Rancher die Kälber in der Nacht, schaffen sie auf Ladeflächen fort, während die Mütter in ihren Ständen schlafen, damit diese nicht aufwachen und nach ihren Jungen schreien. Manche klagen dann so heftig, dass ihre Kehlen zuschwellen und ein Ballon hineingeschoben und aufgepumpt werden muss, um die Halsmuskeln wieder zu weiten.

Ich komme näher. Der Tabak steht hoch. Als sie wieder heult, teilt der Klang die Stängel, und die Blätter zittern. Ich nähere mich der kleinen Lichtung, wo sie sich befinden muss. Das Licht schäumt blau über die Spitzen der Pflanzen. Ich höre ihre gewaltigen Lungen um Luft ringen, leise, aber klar wie der Wind. Ich teile die dicht stehenden Pflanzen und trete vor.

»Ma? Erzähl mir noch mal die Geschichte.«

»Ich bin zu müde, Schatz. Morgen. Geh wieder schlafen.«

»Ich habe nicht geschlafen.«

Es ist nach zehn, und du bist gerade vom Nagelstudio heimgekommen. Du hast ein Handtuch um dein Haar gewickelt, deine Haut ist noch warm von der Dusche.

»Komm schon, nur ganz kurz. Die von dem Affen.«

Du seufzt, schlüpfst unter die Decke. »Na gut. Aber hol mir eine Zigarette.«

Ich nehme eine aus der Stange auf dem Nachttisch, stecke sie zwischen deine Lippen und gebe dir Feuer. Du paffst einmal, zweimal. Ich nehme sie heraus, sehe dich an.

»Also gut, mal sehen. Es war einmal ein Affenkönig, der –«

»Nein, Ma. Die echte. Komm schon. Erzähl die Geschichte aus dem wirklichen Leben.«

Ich stecke die Zigarette in deinen Mund zurück, lasse dich paffen.

»Okay.« Deine Augen blicken forschend im Zimmer umher. »Es war einmal – rück näher, willst du's jetzt hören oder nicht? Es waren einmal, im alten Land, Männer, die Gehirne von Affen aßen.«

»Du wurdest im Jahr des Affen geboren. Also bist du ein Affe.«

»Ja, ich schätze schon«, flüsterst du, in weite Ferne starrend. »Ich bin ein Affe.«

Die Zigarette schwelt zwischen meinen Fingern.

Nebel steigt von der warmen Erde auf, als ich durch die Pflanzen trete. Der Himmel weitet sich, der Tabak weicht zurück und gibt den Blick auf einen Kreis frei, nicht größer als der Daumenabdruck Gottes.

Aber da ist nichts. Keine Kuh, kein Laut, nur die letzten Grillen, weit entfernt jetzt, der Tabak still in der Morgenluft. Ich stehe da und warte darauf, dass der Klang mich wahr werden lässt.

Nichts.

Die Färse, die Farm, der Junge, das Wrack, der Krieg – hatte ich das alles nur im Traum erfunden, damit ich es beim Aufwachen mit meiner Haut verschmolzen fand?

Ma, ich weiß nicht, ob du es in diesem Brief so weit geschafft hast – oder ob du es überhaupt hierhergeschafft hast. Du sagst mir immer, es sei zu spät für dich, lesen zu lernen, mit deiner armen Leber, deinen müden Knochen, dass du dich nach allem, was du durchgemacht hast, nur noch ausruhen willst. Dieses Lesen ist ein Privileg, das du mir durch das, was du verloren hast, ermöglicht hast. Ich weiß, dass du an Wiedergeburt glaubst. Ich weiß nicht, ob ich daran glaube, aber ich hoffe, dass es sie gibt. Weil du dann vielleicht beim nächsten Mal hierher zurückkehren kannst. Vielleicht wirst du ein Mädchen sein und vielleicht wird dein Name wieder Rose sein, und du wirst ein Zimmer voller Bücher haben und Eltern, die dir in einem von Krieg unberührten Land Gutenachtgeschichten vorlesen. Vielleicht wirst du dann, in jenem Leben und in dieser Zukunft, dieses Buch finden und wissen, was mit uns geschah. Und du wirst dich an mich erinnern. Vielleicht.

Grundlos renne ich los, an der Lichtung vorbei, zurück in den schroffen Schatten des Tabaks. Meine Füße verschwimmen zu einem dünnen Luftstrom unter mir, und ich renne. Auch wenn noch niemand, den ich kenne, tot ist, nicht Trevor, nicht Lan, nicht meine Freunde, das Speed und Heroin nicht einmal in der Nähe ihrer narbenfreien Venen. Auch wenn die Farm noch nicht verkauft wurde, um Platz für Luxusapartmenthäuser zu machen, die Scheune noch nicht abgerissen, ihr Holz zu handgearbeiteten Möbelstücken verarbeitet oder um die Wände hipper Cafés in Brooklyn auszukleiden, renne ich.

Ich renne und denke, dass ich all das hinter mir lassen kann, weil mein Wille zur Veränderung stärker ist als meine Angst vor dem Leben. Mit nasser, von Blättern bestrichener Brust, während der Tag an seinen Rändern hochschwelt, bahne ich mich so schnell durch, dass es sich anfühlt, als sei ich endlich aus meinem Körper ausgebrochen, hätte ihn abgehängt. Aber als ich mich nach dem keuchenden Jungen umdrehe, um ihm zu guter Letzt zu verzeihen, dass er versuchte, gut zu sein, und daran scheiterte, ist niemand da – nur die vollen Ulmen, die windlos am Feldrand stehen. Dann, einfach so, gehe ich weiter. Ich denke an die Büffel irgendwo, vielleicht in North Dakota oder Montana, wie sich ihre Schultern zeitlupengleich kräuseln, während sie auf die Klippe zustürmen, und ihre braunen Körper stauen sich vor dem Nadelöhr des schmalen Abgrunds. Ihre Augen ölschwarz, die samtigen Knochen ihrer Hörner staubbedeckt, wie sie so miteinander rennen, blindlings – bis sie zu Elchen werden, gewaltig und geweihgekrönt, ihre nasse Nüstern iahend, dann Hunde, die mit den Pfoten nach dem Rand kratzen, ihre Zungen schlabbernd im Licht, bis sie sich zu guter Letzt in Makaken verwandeln, ein ganzer Schwarm davon. Mit aufgeschnittenen Scheiteln und ausgehöhlten Gehirnen wandeln sie dahin, das Fell auf ihren Gliedmaßen dünn und federweich. Und gerade als der erste von der Klippe herab auf Luft tritt, das ewige Nichts darunter, entzünden sie sich zu den ockerroten Funken von Monarchfaltern. Tausende Monarchen quellen über den Rand, fächern in die weiße Luft aus, wie ein auf Wasser treffender Blutstrahl. Ich rase durch das Feld, als wäre meine Klippe dieser Geschichte niemals eingeschrieben, als wäre ich nicht schwerer als die Worte in meinem Namen. Und wie ein Wort halte ich kein Gewicht in dieser Welt aus und trage doch mein eigenes Leben. Und ich schleudere es vor mich hin, bis das, was ich hinter mir gelassen habe, nur mehr dasselbe ist, worauf ich zurenne – als ob ich zu einer Familie gehörte.

»Warum haben sie dich dann nicht gekriegt?« Ich stecke die Marlboro in deinen Mund zurück.

Du hältst meine Hand für eine Weile dort fest, atmest, nimmst sie dann zwischen deine Finger. »Oh, Little Dog«, seufzt du. »Little Dog, Little Dog.«

Affen, Elche, Kühe, Hunde, Schmetterlinge, Büffel. Was würden wir darum geben, wenn die zerstörten Leben der Tiere eine menschliche Geschichte erzählen könnten – dabei sind unsere Leben selbst schon die Geschichte von Tieren.

»Warum sie mich nicht gekriegt haben? Na, weil ich *schnell* war, mein Schatz. Es gibt Affen, die sind so schnell, dass sie mehr wie Geister sind, verstehst du? Einfach so – *puff*«, du öffnest deine Hand in der Andeutung einer kleinen Explosion, »und weg sind sie.« Ohne deinen Kopf zu bewegen, siehst du mich an, so wie Mütter alles ansehen – zu lange.

Dann, einfach so, fängst du an zu lachen.

Die Vergangenheitsform von singen ist nicht gesingt.

HOA NGUYEN

DANK

Die Zeile »Freiheit ... [ist] nur der Abstand zwischen dem Raubtier und seiner Beute« auf Seite 11 stammt leicht abgewandelt aus Bei Daos Gedicht »Komplizen« (*Notizen vom Sonnenstaat*).

Die Zeile »Zwei Sprachen ... ziehen eine dritte an« auf Seite 44 ist sinngemäß nach Roland Barthes' Text *Über mich selbst*.

Der Satz »Ich schwöre, zu viel Glück geht in unserer Verzweiflung verloren, als dass wir es bewahren könnten« ist von der zen-buddhistischen Lehre über Glück und Vergänglichkeit inspiriert, auf die sich Max Ritvo in seinem Interview mit Divedapper.com beruft.

Ich möchte in keiner bestimmten Reihenfolge einigen Menschen danken, die mich und meine Arbeit in dieser Welt ermöglicht haben.

Zu Dank verpflichtet bin ich dem meisterhaften Journalismus Tom Callahans, dessen differenzierte Berichterstattung für *ESPN the Magazine* und *Golf Digest* mein Verständnis für Tiger Woods und sein bleibendes Vermächtnis auf dem Gebiet des Golfs und der amerikanischen Kultur vertiefte, bereicherte und prägte. Danke an Elaine Scarry und ihr Buch *On Beauty and Being Just* für die geistreiche, genaue und erhellende Komplizierung des Themas.

Meinen Lehrern dafür, dass sie den Weg immer gesehen (und erhalten) haben: Roni Natov und Gerry DeLuce (Brooklyn College); Jen Bervin (Poets House), Sharon Olds (NYU) und meinem Lyriklehrer an der Highschool, Timothy Sanderson (Hartford County).

Ben Lerner, ohne den so vieles von meinem Denken und Dasein als Schriftsteller nicht Wirklichkeit geworden wäre. Danke, dass du mich immer daran erinnerst, dass Regeln bloß Tendenzen sind, keine Wahrheiten, und Gattungsgrenzen so wenig existieren, wie unsere Vorstellungskraft begrenzt ist. Ich bin dir für deine große Freundlichkeit ebenso verbunden wie der anglistischen Fakultät am Brooklyn College dafür, dass sie mich mit einem Nothilfefonds unterstützte, als ich im Winter 2009 meine Unterkunft verlor.

Danke, Yusef Komunyakaa, dass du mir gezeigt hast, wie man die Zeile umbricht und die Welt an ihren brutalen Tintenfugen klarer sieht. Dafür, dass du mein aufgekratztes Fan-Gehabe ertragen hast, als ich mich an einem regnerischen Abend in einem Kino im West Village, Herbst 2008, glücklicherweise neben dich gesetzt und die ganze Zeit über alles und nichts gequatscht habe. An den Film erinnere ich mich nicht, aber dein Lachen werde ich nie vergessen. Danke, dass du mich als deinen Schüler angenommen hast.

Eine tiefe Verbeugung vor den folgenden Künstlern und Musikern, auf die ich beim Schreiben dieses Buches immer wieder gebaut habe: James Baldwin, Roland Barthes, Charles Bradley, Thi Bui, Anne Carson, Theresa Hak Kyung Cha, Alexander Chee, Gus Dapperton, Miles Davis, Natalie Diaz, Joan Didion, Marguerite Duras, Perfume Genius, Thich Nhat Hanh, Whitney Houston, Kim Hyesoon, Etta James, Maxine Hong Kingston, King Krule, Lyoto Machida, MGMT, Qiu Miaojin, Mitski, Viet Thanh Nguyen, Frank Ocean, Jenny Offill, Frank O'Hara, Rex Orange County, Richard Siken, Nina Simone, Sufjan Stevens und C. D. Wright.

Allen asiatisch-amerikanischen Künstlern, die vor mir kamen, danke.

Dafür, dass ihr dieses Buch im Manuskriptstadium gelesen habt, für die gnädigen und laternenhellen Anmerkungen und euer Einfühlungsvermögen – danke, Peter Bienkowski, Laura Cresté, Ben Lerner (noch einmal), Sally Wen Mao und Tanya Olson.

Für eure Freundschaft und dafür, dass ihr diese Kunst und Luft mit mir geteilt habt: Mahogany Browne, Sivan Butler-Rotholz, Eduardo C. Corral, Shira Erlichman, Peter Gizzi, Tiffanie Hoang, Mari L'Esperance, Loma (alias Christopher Soto), Lawrence Minh-Bùi Davis, Angel Nafis, Jihyun Yun.

Doug Argue, deine lebensprühende Offenheit und Unerschrockenheit halfen mir, mutiger mit unseren Wahrheiten zu sein; du hast dieses Buch in mehr Hinsichten, als du weißt, möglich gemacht.

Danke meiner fantastischen und furchtlosen Agentin, Frances Coady (Captain Coady!), für dein scharfes Auge, deine unermüdliche Zuversicht und Geduld, vor allen Dingen dafür, dass du mich als Künstler respektierst. Dafür, dass du mich gefunden und an mich geglaubt hast, bevor alles anfing.

Zutiefst dankbar bin ich meiner Lektorin, Ann Godoff: danke für deine ungetrübte Begeisterung für dieses kleine Buch, dafür, dass du es so gründlich, so vollständig und aufmerksam bis ins kleinste Detail verstanden hast. Dafür, dass du in jeder Hinsicht hinter der Vision seines Autors stehst. Und dem fantastischen Team von Penguin Press: Matt Boyd, Casey Denis, Brian Etling, Juliana Kiyan, Shina Patel und Sona Vogel.

Ich stehe in der Schuld von Dana Prescott und Diego Mencaroni von der Civitella Ranieri Foundation, wo dieses Buch während eines Stromausfalls in einem umbrischen Gewitter von Hand angefangen wurde. Und Leslie Williamson und der Saltonstall Foundation for the Arts, wo dieses Buch fertig geschrieben wurde. Großzügige Unterstützung wurde auch durch die Lannan Foundation, die Whiting Foundation und die University of Massachusetts-Amherst gewährt.

Danke, Peter, immer, für Peter.

Ma, *cảm ơn*.

NACHWEISE

S. 7:   Qiu Miaojin, *Last Words from Montmartre*. New York 2014.
        Deutsch von Anne-Kristin Mittag. Published in English by New
        York Review Books. © 1996, 2006 by Qiu Miaojin. All rights
        reserved.

S. 7:   Joan Didion, *Wir erzählen uns Geschichten, um zu leben*. Berlin
        2008. Deutsch von Antje Rávic Strubel. © 2008 Claassen Verlag
        in der Ullstein Verlage GmbH, Berlin.

S. 11: Bei Dao, »Komplizen«, in: *Notizen vom Sonnenstaat*. München/
        Wien 1991. Deutsch von Wolfgang Kubin.

S. 15: Roland Barthes, *Tagebuch der Trauer*. München 2010. Deutsch von
        Horst Brühmann.

S. 42 und 44: Roland Barthes, *Die Lust am Text*. Frankfurt 1999. Deutsch
        von Traugott König.

S. 97: Roland Barthes, *Über mich selbst*. München 1978. Deutsch von
        Jürgen Hoch.

S. 125 und 142: 50 Cent, »Many Men (Wish Death)«. Musik und Text:
        Frederick Perren, Keni St. Lewis, Darrell Branch, Curtis Jackson &
        Luis Resto. © Copyright 2003 Perren Vibes Music Co., Universal
        Songs of Polygram International Inc., Bull Pen Music Inc., Univer-
        sal Polygram International Publishing Inc., Figga Six Music, Kobalt
        Music Copyrights SARL & Resto World Music. Universal Music
        Publishing Limited, Downtown Music UK Limited & Kobalt Music
        Publishing Limited. All Rights Reserved. International Copyright
        Secured. Used by permission of Hal Leonard Europe Limited.

S. 219: Simone Weil, *Schwerkraft und Gnade*. München 1989. Deutsch von
        Friedhelm Kemp.

S. 263: Hoa Nguyen, »Diệp before completion«, in: *EVENT. Poetry and
        Prose* 42/3 (2013). Deutsch von Anne-Kristin Mittag.